Wielka
encyklopedia wróżek

Wielka
encyklopedia wróżek

tekst – Krzysztof Żywczak

ilustracje – Piotr Parda

Papilon

Redakcja: UW FONT Piotr Graboń, Publicat S.A. – Anna Kałowa
Opracowanie komputerowe: Mariusz Sobolewski
Projekt i opracowanie komputerowe okładki: Tomasz Piątkowski
Korekta: UW FONT Piotr Graboń, Publicat S.A.– Eleonora Mierzyńska-Iwanowska

Papilon – znak towarowy
Publicat S.A.
61-003 Poznań, ul. Chlebowa 24
tel. 061 652 92 52, fax 061 652 92 00
e-mail: papilon@publicat.pl
www.publicat.pl

Zaproszenie
do świata wróżek

Kto to wie, jak wyglądałby świat bez wróżek… Być może, w ogóle by go nie było. To dość śmiała teza, ale niewątpliwie niektóre rzeczy od czasu do czasu byłyby znacznie trudniejsze. Na przykład bez wróżek zapewne nie dałoby się dostać gwiazdki z nieba.

Przez całe wieki wróżki hołubiono, zabiegano o ich względy i starano się pozyskać ich sympatię. A potem nagle ludzie odwrócili się od nich i zaczęli traktować jak wymyślone stwory z bajek i legend. Cóż za niesprawiedliwość! Ileż głupot nawypisywano na ich temat! Ileż bzdur i bredni!

Wróżki znosiły to niegodne traktowanie z nadludzkim spokojem – co akurat przychodzi im dość łatwo, bo w oficjalnej *Hierarchii stworzeń na Ziemi* znajdują się znacznie wyżej niż ludzie. W końcu powiedziały sobie jednak: dość! Nadszedł czas, by przyjrzeć im się z bliska, bez emocji, i uchylić rąbka tajemnicy. Dlaczego? Powodów jest mnóstwo, a dwa najważniejsze, jak twierdzą same zainteresowane, są następujące.

Po pierwsze nie ma nic cenniejszego niż rzetelna wiedza o świecie i wszystkich zamieszkujących go istotach, mniejszych i większych.

A po drugie, jeżeli na Ziemię przylecą kosmici, co niewątpliwie stanie się niedługo (we wróżkowej skali czasu), warto, by ludzie umieli odróżnić je od innych stworzeń i nie skompromitowali się przed gośćmi z obcych planet.

Ponadto niektóre wróżki mają nadzieję, że niniejsza encyklopedia przyda się tym, którzy będą chcieli przygotować się do poświęconego wróżkom telewizyjnego teleturnieju (o ile taki się kiedyś przydarzy) oraz jako podręcznik do nauczania wróżkologii w gimnazjum, na uniwersytetach oraz na kursach korespondencyjnych.

Wróżkologia

Pochodzenie wróżek

Wróżki polne, leśne, wodne, wróżki ogrodowe, wróżki miejskie i jakie tam jeszcze – świat pełen jest przeróżnych wróżek: małych i dużych, dobrych i złych, mądrych i głupiutkich, fruwających i pływających. Skąd się biorą? Skąd pochodzą? Odpowiedzi jest tyle, ile wróżek.

Wróżki z bukowego lasu

Za siedmioma górami, których jeszcze nie ma, za ośmioma łąkami stokrotek, które nigdy nie więdną, za dziewięcioma rzekami, które płyną od morza do źródeł, w bukowym lesie, który widać tylko w niedzielne przedpołudnia (kiedy nie pada), mieszkają wróżki. Każda z nich, wędrująca samotnie po świecie, ma w tym lesie swoje drzewo o srebrzystej korze i jasnozielonych liściach – drzewo, pod którym przyszła na świat i z którego gałęzi zrobiona jest jej osobista magiczna różdżka.

Gdzie jest ten las? Któż to wie! Z każdego miejsca na Ziemi jest do niego tak samo daleko i tak samo blisko. Wielu próbowało odnaleźć ukrytą drogę. Szukali w chmurach, w górskich potokach i jeziorach, w niedostępnych partiach gór. Szukali wśród labiryntów równo przyciętych krzewów w wypielęgnowanych francuskich ogrodach. I nic. Znaleźli tylko ptasie pióra, ryby, muchy, biedronki i elfy. Zawiedli się także ci, którzy przypuszczali, że magiczny las jest skryty głęboko we wnętrzu Ziemi, choć byli pewni, że tylko tam znajdą miejsce, do którego zewsząd jest tak samo daleko i tak samo blisko. Choć całymi latami wytrwale kopali i z uporem drążyli w ziemi dziury, lasu nie znaleźli. Wszystko, co udało im się odnaleźć, to srebro, złoto i diamenty – przez które stali się nieszczęśliwi. A magiczny las, pełen słońca odbijającego się od jasnozielonych liści i srebrzystej kory buków, od wieków rośnie sobie spokojnie w miejscu, o którym wiedzą tylko wróżki.

Wróżki z bukowego lasu przychodzą na świat tylko w magicznym bukowym lesie w słoneczne niedzielne przedpołudnia, i tylko latem, kiedy nie pada – to wiadomo na pewno. Ale skąd się biorą na świecie? Tego nawet one same nie wiedzą.

Pewnego ranka otwierają oczy i ni stąd, ni zowąd zdają sobie sprawę z faktu, że są. I już. Jakby się budziły z drzemki po podwieczorku, na który był tort czekoladowy albo tort czekoladowy i lody waniliowe. A potem, któregoś dnia, zamykają oczy i nigdy się nie dowiedzą, że minął właśnie ich ostatni dzień na Ziemi. I żadnej nie wydaje się, by było w tym coś dziwnego. Z tego właśnie powodu pewien lekkomyślny ćwierćbadacz, ćwierćalchemik i półgłówek zaliczył je kiedyś do zjawisk przyrody niemających wpływu na swój los i byt. Dzień, w którym to zrobił, był najgłupszym w jego życiu – wróżki nie zamierzały być traktowane jak mżawka albo mgła i w ramach protestu zamieniły go w piorunochron na wieży jego własnego domu.

Wróżki mogą przyjmować dowolną postać, kiedy tylko im się podoba. Chcą być małe – są małe, chcą być dorosłe – są dorosłe. Bardzo trudno uchwycić moment, kiedy są dziećmi albo przynajmniej wyglądają jak dzieci. Wróżka, która dopiero co przyszła na świat (albo raczej pojawiła się na nim) już po pięciu minutach może przybrać postać zgarbionej staruszki o pomarszczonej twarzy i siwych włosach.

Wodne wróżki

Wodne wróżki przychodzą na świat w bezchmurne noce, z dala od miast, wsi i ludzkich osad, w miejscach, gdzie pomiędzy niewielkimi, łagodnymi pagórkami lśnią tafle czystych jezior ukrytych wśród lasów. Dzieje się to wieczorem, kiedy nie ma wiatru, a noc powoli skleja się z nieruchomą powierzchnią wody i robi się ciemniej i ciemniej. Gdyby nie gwiazdy, można by pomyśleć, że cały świat gdzieś zniknął, zamknięty w magicznym pudełku czarodzieja albo w czarnym cylindrze iluzjonisty.

Pośrodku takiej nocy w gładkiej tafli wody odbijają się gwiazdy – małe złociste punkciki zawieszone wysoko na czarnym niebie. Co jakiś czas – może raz na rok, a może raz na sto lat – z jednego z gwiezdnych odbić w wodnym lustrze rodzi się wróżka. Podobno najpierw na wodzie pojawia się mały bąbel – jak w czasie deszczu na kałuży. Wodne odbicie gwiazdy odrywa się od gładkiej ta-

Zdarza się, że wodna wróżka przyjdzie na świat w jeziorze, które nie jest zbyt czyste. Niestety, w dzisiejszych czasach coraz trudniej znaleźć takie, którego wody odpowiadałyby wymaganiom wróżek. Musi wtedy wykąpać się przed świtem w kropli rosy, co nie należy do przyjemności, gdyż rosa jest zimna.

fli i zaczyna wirować, na początku delikatnie, potem coraz szybciej i szybciej, aż w końcu zamienia się we wróżkę. Bańka pęka, krople wody rozpryskują się na wszystkie strony, a uwolniona wróżka delikatnie unosi się nad wodą. Wystarczyłby jeden delikatny podmuch wiatru, by znalazła się w przestworzach, gdzie błąkałaby się pomiędzy gwiazdami i galaktykami. Niektórzy mówią, że zagraża jej nie tylko wiatr, ale także ryby, dla których mała wróżka niczym się nie różni od brzęczącego komara. Podobno czasem przez przypadek czy pomyłkę jakaś ryba połyka ją i staje się złotą rybką spełniającą życzenia tych, którzy ją wyłowią. Kto jednak wie, czy to prawda…

Kim są wróżki?

Czy wróżki istnieją? Ja wiem, że tak. Kim są? Tym, kim chcą. A kim chcą być? To chyba jasne – wróżkami!

Ludzie bardzo często chcą być kimś zupełnie innym, niż są. A wróżki nigdy.

Może dlatego, że gdyby tylko chciały, mogłyby stać się kimkolwiek.

Trzpiotki, psotki

Najmniejsze z wróżek, małe trzpiotki i psotki, żyją tylko po to, żeby się śmiać. A śmieszy je wszystko: że wstaje świt, że trawa jest zielona, że biedronka pnie się po łodyżce kwiatu coraz wyżej i wyżej, że deszcz pada, a kałuże wysychają, gdy zza chmur wygląda słońce. Śmieją się i śmieją dzień za dniem, ale trudno je usłyszeć, bo ich chichot gubi się w cykaniu świerszczy, szemraniu strumyka i szeleście źdźbeł trawy potrącanych delikatnym podmuchem wiatru. A kiedy już zmęczą się chichotaniem, uwielbiają wylegiwać się na chmurach, zwłaszcza na małych puszystych obłokach leniwie sunących przez niebieskie niebo. Leżą tak sobie i leżą na płynącej powoli chmurce i obserwują, co dzieje się na Ziemi. I tak je to bawi, że nie mogą się opanować, i oczywiście zaczynają się śmiać. Śmieją się i podskakują z radości, a w końcu zupełnie tracą równowagę i spadają na Ziemię. A, jak wiadomo, nie ma nic zabawniejszego niż spadanie z obłoków na trawę.

Wróżki kwiatowe

Średnie wróżki całymi dniami przechadzają się po łące. Są niższe od dmuchawca, więc łatwo je przeoczyć, a w dodatku mają wielkie białe czupryny, nastroszone jak piórka kąpiącego się w piasku wróbla. Chodzą po łące i szukają zielonych łodyżek, na których szczycie dyndają nabrzmiałe pąki. Wróżki przyglądają się im uważnie, ale nie po to, żeby się nimi zachwycać – patrzą na nie służbowo. Kiedy znajdą pąk, podchodzą bliżej i delikatnie łaskoczą go, żeby otworzył się i zakwitł. Myślicie, że kwiaty kwitną same z siebie, tak po prostu? Nic podobnego. Jeśli w pobliżu nie ma kwiatowej wróżki, na łodyżce może dyndać i sto pąków, a żaden z nich nie zamieni się w kwiat.

Niektóre spośród średnich wróżek pomagają nadlatującym nad łąkę pszczołom. Wskazują im kwiaty z najsmaczniejszym nektarem i pyłkiem, a potem pomagają odnaleźć drogę do ula. Inne malują skrzydła motylom, a jeszcze inne zapisują melodie wygrywane przez świerszcze, żeby wymieniać się nimi z wróżkami z pobliskich łąk.

Tajemnica wróżek

Duże wróżki są najbardziej tajemnicze i najmniej o nich wiadomo. Może dlatego, że tylko od czasu do czasu pojawiają się wśród ludzi. Kto wie, co robią całymi dniami w swych wielkich zamkach, do których tak trudno trafić, choć podobno są tuż-tuż… Wertują księgi zaklęć? Poszukują nowych czarów? Kto wie…

Niektórzy szukają zamków wróżek, bo sądzą, że znajdą tam komnaty pełne skarbów – złota, srebra i diamentów. Ale po co wróżki miałyby gromadzić to wszystko? Przecież potrafią zamienić w złoto cokolwiek, kiedy tylko im się spodoba. Niektórzy szukają dróg do zamków wróżek, bo sądzą, że natkną się tam na księgi pełne zaklęć dających władzę. Ale po co wróżki miałyby zapisywać zaklęcia, skoro na skinienie mogą mieć władzę nawet nad czasem, tylko nie widzą powodu, by robić z niej użytek?

Złota rybka

Czy wróżki istnieją? Ja wiem, że tak, choć nie brak ludzi, którzy w to nie wierzą. Przestrogą dla niedowiarków niech będzie historia pewnego mędrka, który nie dość, że we wróżki nie wierzył, to jeszcze przy każdej okazji wyśmiewał się z nich i z każdego, kto miał odwagę powiedzieć o nich choć jedno dobre słowo. Pewnego słonecznego dnia ów nieszczęśnik spotkał na swej drodze najprawdziwszą wróżkę. Chciałoby się powiedzieć, że była to wróżka z krwi i kości, ale tak mówi się o ludziach, lepiej użyć więc określenia stosowanego w języku wróżek – z mgły i marzeń.

Wróżki lubią ludzi, o ile oczywiście nie są złymi wróżkami, bo te nie lubią nikogo. Odnoszą się do ludzi z sympatią, a czasami traktują ich jak dzieci. Ale bywa i tak, że nawet najszlachetniejsza i najłagodniejsza wróżka straci cierpliwość, zwłaszcza jeśli spotka się z wyjątkowym bęcwałem. Takim właśnie jak nasz mędrek, który zobaczył wróżkę na brzegu jeziora i zaczął sobie z niej drwić, sypiąc jak z rękawa głupawymi prośbami:

– Wróżko, wróżko, czy możesz zamienić mnie w arbuza? Albo w pomidora? Właściwie nie, lepiej w sok pomidorowy… Albo w drzewo, ptaka, rybę, słonia, żonkila, kasztana, tramwaj, dwa kilo wiśni? O tak, zamień mnie w dwa kilo wiśni, koniecznie niedrylowanych. A czy umiesz zamienić kamień w dom, a dom w pałac, nauczyć konia mówić lub przewidzieć, jaka będzie pogoda za dwa tygodnie, trzy dni i cztery godziny?

Trajkotał i trajkotał, a wróżka już od dłuższego czasu miała go dość. Puszczała jednak jego docinki mimo uszu, jako że należała do wróżek dobrych i wyjątkowo cierpliwych. W końcu na kolejne głupie pytanie w rodzaju: „Czy możesz mnie zamienić w żyrafę?", odpowiedziała poirytowana:

– Nie jestem złotą rybką, kochanie.

Po tych słowach zamieniła go w złotą rybkę i wrzuciła do jeziora. Dała mu jednak szansę na powrót do ludzkiej postaci, obiecując:

– Jeśli przekonasz trzy osoby, że wróżki istnieją, pozwolę ci wrócić do dawnej postaci.

Wróżkologia

Wróżkologia nie cieszy się zbytnią sympatią wróżek, które z rozrzewnieniem wspominają zamierzchłe czasy. Dziś tak to już jest, że jeśli czegoś nie uczy się na uniwersytecie, to mało kto w to wierzy. Kiedyś wystarczyło stać się tematem opowieści wędrownych bajarzy i grajków.

Co za czasy!

Wróżki kręcą nosami, kiedy słyszą o wróżkologii. Co to za czasy nastały – sarkają. – Wszystko musi być naukowe! Kiedyś pisano o nas bajki, i bardzo nam to odpowiadało, bo mogłyśmy do woli korzystać z przywileju bajkowości. A dziś? Chcą pisać o nas prace magisterskie, odzierać z tajemnicy, klasyfikować, fotografować, mierzyć kapelusze i welony, produkować w fabrykach magiczne różdżki. Chcą, byśmy pojawiały się na okładkach tygodników, prowadziły w telewizji teleturnieje albo zapowiadały pogodę. Traktują nas jak jakiś nowo odkryty gatunek jaszczurek albo świerszczy. Co to się porobiło! Co za czasy!

Pies w butach

Czym zajmuje się wróżkologia? Najprościej byłoby powiedzieć, że wróżkami, ale prawdziwsze jest stwierdzenie, że stara się nimi zajmować. Wróżkolodzy uważają się za poważnych badaczy wróżek i ich zwyczajów, jednak one same mają na ten temat inne zdanie – całe to towarzystwo przypomina im raczej fanklub niż koło naukowe, co, w zależności od nastroju i charakteru, raz je bawi, a raz złości. Najogólniej rzecz biorąc, wróżki uważają, że wróżkologia jest potrzebna psu na buty.

Powiedzenie, że coś jest potrzebne psu na buty, zawdzięczamy wróżkom. Żadna z nich nie powiedziałaby przecież, że coś jest potrzebne kotu na buty, bo, jak wszystkim mieszkańcom bajkowych światów wiadomo, koty od czasu do czasu wzuwają obuwie. Co innego psy – te całe życie biegają na bosaka.

Wróżkolodzy

Na co dzień wróżkolodzy zajmują się czymś zupełnie innym. Jeden jest meteorologiem, czyli kimś, kto stara się przewidzieć, jaka będzie jutro pogoda, drugi treserem zwierząt, inny pisze bajki dla dzieci, a jeszcze inny naprawia zegary.

Wróżkolodzy co roku organizują specjalne zjazdy, by poopowiadać sobie o tym, ile wróżek spotkali i czego się od nich dowiedzieli. Nie jest ich zbyt wielu, więc nie potrzebują wielkiej sali, żeby wygodnie usiąść i porozmawiać. Zawsze wybierają miasto, w którym znajduje się jakiś bardzo stary uniwersytet pełen tajemnic i zagadek, koniecznie z biblioteką, gdzie można znaleźć tajemnicze księgi w obcych językach, schematy dziwacznych urządzeń, rękopisy listów badaczy nieba i Ziemi, tablice zapełnione wzorami matematycznymi i drzewami genealogicznymi.

W każdym z tych miast nie może zabraknąć bardzo starej kamienicy, której ściany nasłuchały się przez wieki przeróżnych opowieści, a okna widziały wielu ludzi. W takiej kamienicy na poddaszu zawsze można znaleźć pokój, a w nim za starymi dębowymi drzwiami stoi stary regał ze starymi atlasami. Tylko wtajemniczeni wiedzą, że nie jest to zwykłe pomieszczenie. To właśnie tu spotykają się wróżkolodzy.

Każdy z nich przywozi ze sobą magiczną żarówkę, w której świetle wszystko wygląda inaczej. Musi tylko niepostrzeżenie, kiedy nikt nie widzi, wejść do pokoju na poddaszu, podstawić pod wiszącą u sufitu lampę taboret, wykręcić zwykłą żarówkę i wkręcić zaczarowaną. I wtedy wszystko wokół zmienia się nie do poznania. Pokój nagle zaludnia się wróżkologami, a atlasy na starym regale okazują się księgami o wróżkach.

Magiczna żarówka sprawia, że dziwy te widzą tylko wróżkolodzy. Gdy do pokoju wejdzie ktoś inny, nie dostrzeże nic poza starym zakurzonym regałem z atlasami i taboretem pod lampą. Nie pomyśli nawet, że w tym na pozór pustym pokoju siedzi kilku wróżkologów, którzy popijają sobie zieloną herbatę, obserwują przybysza i się uśmiechają.

Wróżki w różnych krajach i kulturach

Najwięcej wróżek mieszka w Europie i w Ameryce Północnej. Dość często widuje się je w Australii. W Ameryce Południowej jest ich znacznie mniej, w Azji prawie wcale. Mówiąc szczerze, ciężko je tam w ogóle spotkać – z wyjątkiem Japonii, którą najwyraźniej z jakiegoś powodu sobie upodobały. W Afryce jest ich jeszcze mniej niż w Azji. Na Antarktydzie mieszka tylko sześć złych.

Warto w tym miejscu nadmienić, że wiele wróżek mieszka na innych planetach Układu Słonecznego, a także na Księżycu. Nie traktują tego jako coś niezwykłego – podróż na naszego naturalnego satelitę niczym się dla nich nie różni od wycieczki do sąsiedniego miasta. Europa czy Kanada na Ziemi to równie dobry adres, jak Zatoka Rosy czy Zatoka Tęczy na Srebrnym Globie. Niezależnie od tego, gdzie żyją, zajmują się zawsze tym samym.

W Azji, Afryce, Australii i Ameryce Południowej mieszkają inne tajemnicze istoty. Były tam od zawsze. W Brazylii, Meksyku czy Indiach wróżki pojawiły się w ślad za europejskimi kolonizatorami. Ale w przeciwieństwie do nich uszanowały świat, do którego przybyły. I, nie chcąc niczego zepsuć, zachowują się grzecznie, jakby były w gościnie.

Wspomnienia w muzeum

Wróżki, choć nie wiedzą, co to turystyka, uwielbiają podróżować i się spotykać, o czym piszemy w rozdziale *Podróże w życiu wróżek*. Kiedy spotykają się w jakimś mieście, lubią od czasu do czasu wpaść nocą do muzeum historii naturalnej, czyli miejsca, gdzie zgromadzono eksponaty związane z dziejami naszej planety, rosnących na niej roślin i zamieszkujących ją zwierząt. Bardzo lubią muzea w Londynie, Berlinie i Nowym Jorku, w których stoją wykopane z ziemi i zrekonstruowane ogromne szkielety dinozaurów.

Równie chętnie odwiedzają muzea techniki, zwłaszcza te, w których można obejrzeć pojazdy kosmiczne. Często wybierają się także do wielkich galerii sztuki, jak Luwr.

Co tam robią? W muzeach historii naturalnej przechadzają się pomiędzy eksponatami liczącymi miliony lat i wspominają z rozrzewnieniem dawne czasy, kiedy po Ziemi biegały wielkie dinozaury, a wszędzie rosły lasy ogromnych skrzypów, widłaków i paproci. Muzea astronautyki robią na nich podobne wrażenie, jak na nas wesołe miasteczka. Trudno im powstrzymać się od śmiechu, gdy widzą, ile zachodu wymaga od człowieka oderwanie się od powierzchni Ziemi, pobyt na orbicie albo lądowanie na Księżycu.

Zabawy zabytkami

W wielkich europejskich galeriach i muzeach sztuki wróżki z Indii oraz z Chin uwielbiają udawać starożytne greckie rzeźby. Kiedy zwiedzający pójdą już sobie

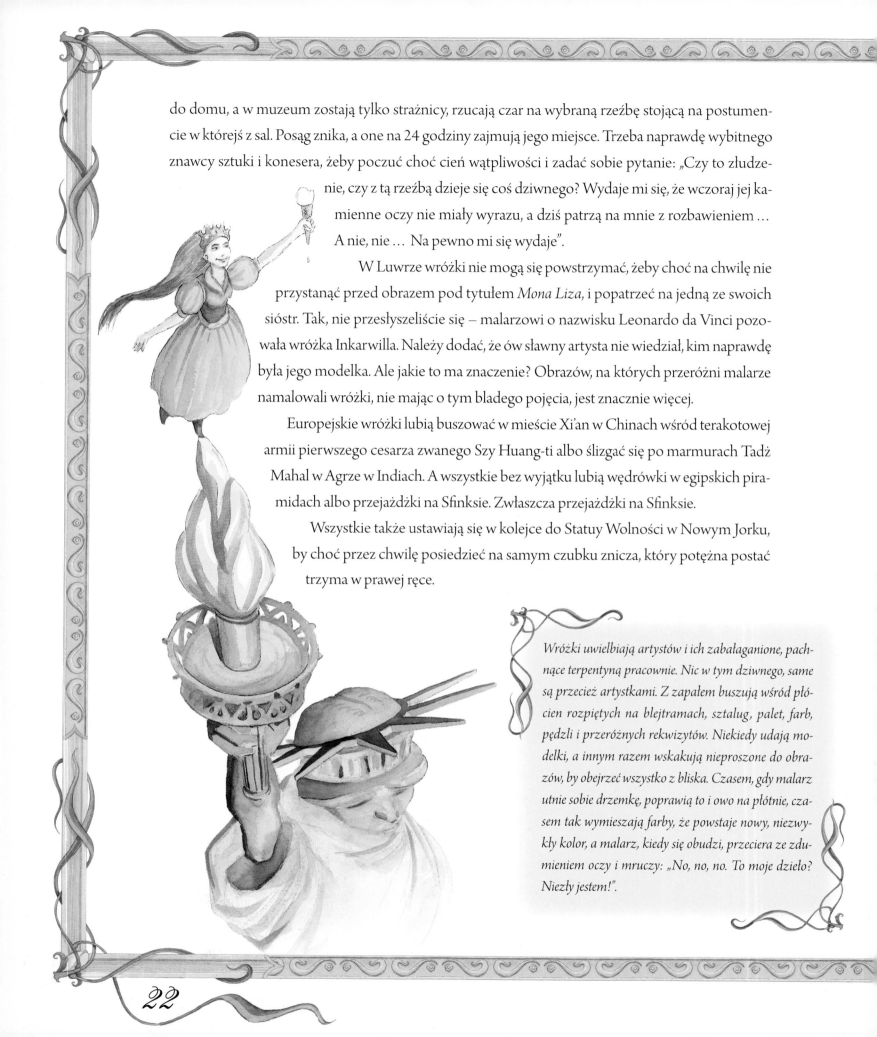

do domu, a w muzeum zostają tylko strażnicy, rzucają czar na wybraną rzeźbę stojącą na postumencie w którejś z sal. Posąg znika, a one na 24 godziny zajmują jego miejsce. Trzeba naprawdę wybitnego znawcy sztuki i konesera, żeby poczuć choć cień wątpliwości i zadać sobie pytanie: „Czy to złudzenie, czy z tą rzeźbą dzieje się coś dziwnego? Wydaje mi się, że wczoraj jej kamienne oczy nie miały wyrazu, a dziś patrzą na mnie z rozbawieniem… A nie, nie… Na pewno mi się wydaje".

W Luwrze wróżki nie mogą się powstrzymać, żeby choć na chwilę nie przystanąć przed obrazem pod tytułem *Mona Liza*, i popatrzeć na jedną ze swoich sióstr. Tak, nie przesłyszeliście się – malarzowi o nazwisku Leonardo da Vinci pozowała wróżka Inkarwilla. Należy dodać, że ów sławny artysta nie wiedział, kim naprawdę była jego modelka. Ale jakie to ma znaczenie? Obrazów, na których przeróżni malarze namalowali wróżki, nie mając o tym bladego pojęcia, jest znacznie więcej.

Europejskie wróżki lubią buszować w mieście Xi'an w Chinach wśród terakotowej armii pierwszego cesarza zwanego Szy Huang-ti albo ślizgać się po marmurach Tadż Mahal w Agrze w Indiach. A wszystkie bez wyjątku lubią wędrówki w egipskich piramidach albo przejażdżki na Sfinksie. Zwłaszcza przejażdżki na Sfinksie.

Wszystkie także ustawiają się w kolejce do Statuy Wolności w Nowym Jorku, by choć przez chwilę posiedzieć na samym czubku znicza, który potężna postać trzyma w prawej ręce.

Wróżki uwielbiają artystów i ich zabałaganione, pachnące terpentyną pracownie. Nic w tym dziwnego, same są przecież artystkami. Z zapałem buszują wśród płócien rozpiętych na blejtramach, sztalug, palet, farb, pędzli i przeróżnych rekwizytów. Niekiedy udają modelki, a innym razem wskakują nieproszone do obrazów, by obejrzeć wszystko z bliska. Czasem, gdy malarz utnie sobie drzemkę, poprawią to i owo na płótnie, czasem tak wymieszają farby, że powstaje nowy, niezwykły kolor, a malarz, kiedy się obudzi, przeciera ze zdumieniem oczy i mruczy: „No, no, no. To moje dzieło? Niezły jestem!".

Czy na innych planetach są wróżki?

Najlepiej byłoby, rzecz jasna, zapytać o to jakąś wróżkę z innej planety. Myślicie, że odpowiedziałaby: „Ależ tak, oczywiście! Na innych planetach są wróżki, przecież ja jestem wróżką i nie pochodzę z Ziemi!". Naprawdę tak myślicie? Nic bardziej błędnego. Taką odpowiedź mógłby dać młynarz, dróżnik albo ogrodnik (z innej planety oczywiście), ale nie wróżka. Wróżka z innej planety spytałaby: „A według ciebie, która to jest ta inna planeta? Dla mnie twoja jest inna. Na mojej są wróżki, a na twojej?". Lepiej nie zadawać wróżkom takich pytań, bo może skończyć się to tak, że zadadzą nam pytanie, na które nie znamy odpowiedzi. Albo przynajmniej odpowiedzi, która spodoba się wróżce.

Slalom na miotle pomiędzy planetami to jedna z ulubionych rozrywek wróżek. A także jedna z konkurencji na dorocznych Międzyplanetarnych Mistrzostwach Wróżek w Różnych Dyscyplinach. Inne popularne zawody to: zamiatanie magiczną miotłą kosmicznego pyłu, zaplatanie warkoczy kometom, rozlewanie mleka na Drodze Mlecznej, rzut meteorem w Księżyc czy wyścigi na łyżwach po pierścieniach Saturna.

Gwiezdna różdżka

Są tacy, którzy twierdzą, że wysoko nad naszymi głowami krąży w kosmosie mnóstwo planet, na których mieszkają wróżki. Upierają się też, że można się o tym łatwo przekonać – wystarczy w bezchmurną noc unieść głowę i spojrzeć w rozgwieżdżone niebo. To właśnie gwiazdy mają być tym decydującym dowodem. Kiedy bowiem wróżki z innych planet zajmują się czarami, od czasu do czasu dotykają różnych rzeczy i osób swoimi magicznymi różdżkami. A kiedy wróżka puknie coś lub kogoś swoją różdżką, wytryskuje spod niej fontanna iskier. Gwiazdy to właśnie te iskry, które wykrzesały wróżki z innych światów, zamieniając kogoś lub coś w coś zupełnie innego. A co na ten temat sądzą wróżki? Nie wiadomo. One nie zabierają w tej kwestii głosu.

Wróżka-patison

Są tacy, którzy sądzą, że poza naszą planetą nie ma wróżek. Ale mówią tak dlatego, że trochę się obawiają tych innych wróżek. Boją się nawet myśleć, że na innych planetach ludzie i wróżki mogliby wyglądać zupełnie inaczej niż na Ziemi. Pół biedy, gdyby się prezentowali jakoś ładnie – miło byłoby wiedzieć, że jest gdzieś planeta, którą zamieszkują inteligentne koty albo niezapominajki, a wróżki też są tam kotami albo niezapominajkami. Gorzej, jeśli na jakiejś planecie mieszkałyby inteligentne selery albo patisony. Kto miałby respekt przed wróżką-patisonem? Wróżki nie zabierają w tej kwestii głosu.

Osiem planet

Nasz układ planetarny chwilowo ma osiem planet. Najbliżej Słońca krąży Merkury. Jest tam strasznie gorąco. Wróżki mieszkające na Merkurym uprawiają słoneczniki i suszą ziarna kukurydzy. Ze słoneczników tłoczą olej, którym oliwią tryby wszechświata, żeby nie skrzypiały, kiedy obraca się w koło, a kukurydzę mielą na mąkę kukurydzianą, którą rozsypują na nocnym niebie, by nigdy nie zabrakło na nim gwiazd.

Druga w kolejności od Słońca planeta to Wenus – piękna, tajemnicza, spowita nieprzebytym gąszczem chmur, mgieł i magicznych oparów. Wróżki mieszkające na Wenus szyją dla swoich sióstr i kuzynek ze wszystkich planet sukienki, peleryny i welony, tkają i haftują obrusy i serwety.

Trzecią planetą układu jest Ziemia. Ziemskie wróżki są najbardziej beztroskie w całym wszechświecie. Na Ziemi występuje ich także najwięcej. Najmniejsze całymi dniami nic nie robią, tylko wylegują się nad brzegami strumieni w cieniu łopianów czy wierzb i plotkują albo psocą. Średnie pomagają roślinom i zwierzętom, a największe mają wielkie pałace i od czasu do czasu zadają się z ludźmi.

Czwarta planeta to Mars. Dziś jest opustoszały, ale kiedyś, nawet nie tak całkiem dawno, mieszkało na nim sporo wróżek. Hodowały biedronki,

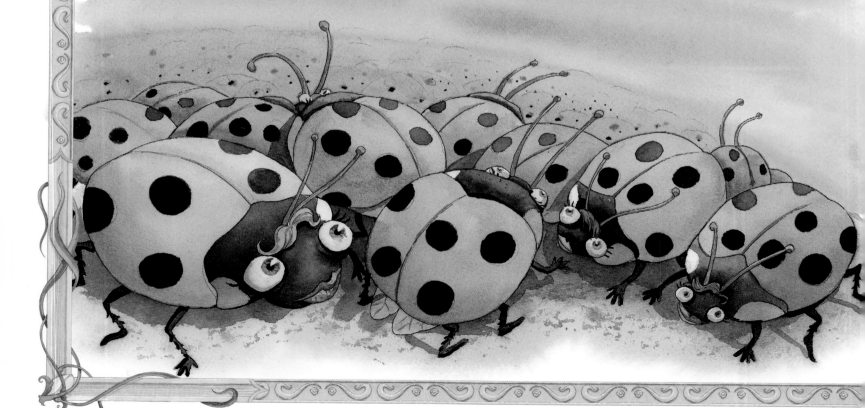

których było tak dużo, że cały Mars był czerwony, więc astronomowie nazwali go Czerwoną Planetą. Wróżki z czterech następnych planet nie utrzymują kontaktu z pozostałymi – dlaczego, nikt nie wie, bo nie można z nimi porozmawiać, gdyż nie utrzymują kontaktu z pozostałymi.

Relaks na Plutonie

Ziemskie wróżki często opuszczają ojczystą planetę, by pobawić się lub odpocząć z dala od ludzi. Jako że są wróżkami, potrafią zdziałać przedziwne rzeczy – niedawno przekonały nawet wielu ważnych i bardzo mądrych astronomów, że nasz układ planetarny ma tylko osiem planet, a nie dziewięć, jak przez długie lata sądzono. Wszystko po to, by móc spokojnie wylegiwać się na ich ulubionym Plutonie, bez narażania się na wścibskie spojrzenia uzbrojonych w teleskopy badaczy nieba. Podobno właśnie na Plutonie, który krąży bardzo, bardzo daleko od Słońca, wróżki z Ziemi spotykają się na pogaduszkach z wróżkami z innych planet. Dlaczego nie na Ziemi? Ponieważ wróżkom z kosmosu nie odpowiada otulający naszą planetę powietrzny szal, chroniący ją i nas przed kosmicznym mrozem. Zdarza się, że mknące przez wszechświat wróżki lub wiedźmy-kosmitki tracą na chwilę kontrolę nad swymi kosmicznymi miotłami, nie wyrabiają na zakręcie, na przykład kiedy z wielką prędkością wypadają zza Księżyca, i wlatują w ziemską atmosferę. Trudno opisać, co się wówczas dzieje! Błysk! Huk! Sypią się iskry. A wróżki czym prędzej uciekają i bardzo im na rękę, że różni ludzie patrzą na ich kosmiczne poślizgi i mówią: „O rety, UFO!".

Dobre wróżki

Nie ma większego szczęściarza od tego, kto spotka na swej drodze dobrą wróżkę. Nie wierzycie?
Zapytajcie Kopciuszka, jeśli go spotkacie. I pozdrówcie go ode mnie. Wróżki nieczęsto odwiedzają ludzi,
ale jeśli już to robią, to nie po to, by zapytać: „Hej, co słychać?" czy: „Jak leci?", ewentualnie zagadać,
że ładna dziś pogoda, po czym zniknąć. Pojawiają się, by komuś pomóc.

Dary dobrych wróżek

Dary dobrych wróżek tym różnią się od podarunków dawanych przez ludzi oraz od wygranych na loterii, że zawsze prowadzą do czegoś dobrego. Urodzinowy prezent od rodzeństwa można zepsuć albo zgubić, wygraną na loterii można roztrwonić, ale dary wróżek to coś całkiem innego. To nie są zwykłe podarki – są zaczarowane, choć na pierwszy rzut oka mogą wyglądać zupełnie pospolicie. Nierzadko nawet na drugi rzut oka, albo i na trzeci. Garść polnych kamyków ofiarowanych przez dobrą wróżkę może mieć większą wartość niż góra złota, bo te magiczne kamyki w odpowiedniej chwili zamienią się w coś, co pomoże w kłopotach, albo okażą się bardziej cenne, niż można by sądzić po ich wyglądzie.

To właśnie jest najważniejszym darem, jaki może ofiarować dobra wróżka, ale ten dar trzeba odkryć samemu. Owszem, garść piasku, w dramatycznej chwili zmieniająca się w mrówki, które pomagają w oddzieleniu ziaren pszenicy od żyta, robi wrażenie, ale to nie wszystko. Ważne, aby spotkanie

Kto spotka na swojej drodze wróżkę i zostanie przez nią czymś obdarowany, musi wiedzieć, że wróżki nie rozdają podarunków ot tak, bez powodu albo z okazji Dnia Kobiet. Kiedy wróżka da ci jakiś prezent, choćby najmniejsze na świecie ziarenko piasku, to znak, że wkrótce znajdziesz się w sytuacji, w której to najmniejsze na świecie ziarenko piasku okaże się niezbędne. Ale śpijcie spokojnie, nie ma się czego obawiać – to malutkie ziarenko w okamgnieniu może się zamienić w górę tak potężną, że Mount Everest będzie przy niej wyglądał jak łagodny pagórek. Jeżeli, rzecz jasna, zajdzie taka potrzeba.

z wróżką nie skończyło się na rozdziawieniu buzi i skwitowaniu tego, co się stało, okrzykiem: „Ojejku, ale cuda!". Tak naprawdę dobrym wróżkom chodzi o to, by zrozumieć, że często to, co z pozoru szare i małe, jest cenniejsze i ważniejsze od stu wozów złota i sześćdziesięciu wagonów diamentów. I że jeśli można komuś pomóc, to warto to zrobić, nie oczekując, że natychmiast dostanie się nagrodę.

Gwiazdka z nieba

Dobre wróżki mają dobre serca, często więc ulegają ludziom, którzy proszą je o różne rzeczy, czasami strasznie dziwaczne. Wróżki do dziś opowiadają sobie taką oto historię:

Pewnego razu pewna dziewczynka zapragnęła mieć gwiazdkę z nieba. Ani tata, ani mama, ani ciocie, wujkowie, babcie i dziadkowie, kuzynki i kuzyni nie traktowali jej prośby poważnie, bo trudno traktować poważnie prośbę o gwiazdkę z nieba. Gdyby prosiła o lizaka albo o nową lalkę, sprawa byłaby prosta, ale gwiazdki z nieba nikomu dać się nie da, choćby stawało się na głowie. O ile oczywiście nie jest się wróżką, dla wróżek bowiem niewiele rzeczy jest niemożliwych.

Któregoś wieczoru pewna wróżka przelatywała w swojej powietrznej karocy nad domem dziewczynki i przez przypadek usłyszała jej lamenty: „Chcę mieć gwiazdkę z nieba! Chcę mieć małą złotą gwiazdkę prosto z nieba!". Wróżka poleciła stangretowi zatrzymać konie, a po jej minie widać było, że nad czymś się zastanawia. „Właściwie dlaczego nie?" – pomyślała, po czym spojrzała w niebo, wybrała jedną z mniejszych gwiazdek, wrzuciła ją przez uchylone okno do pokoju dziewczynki i odleciała.

Gwiazdka spadła na dywan, prosto pod nogi zaskoczonej dziewczynki. Zaczęła mrugać, kręcić się w koło, wzlatywać pod sufit i wywijać w powietrzu fikołki. Dziewczynka od razu wzbudziła jej sympatię, bo patrzyła na nią z zachwytem i wołała: „Tańcz, tańcz!". I przez całą noc klaskała jej do rytmu.

Kiedy wstał świt i dziewczynka chciała odsłonić okno, gwiazdka zaprotestowała:

– Nie rób tego! W świetle dnia stracę blask i nie będę już taka piękna!

Dziewczynka zostawiła więc zaciągnięte zasłony i poszła do szkoły.

Wieczorem gwiazdka znów rozpoczęła pokaz tańców i migotania, a rankiem, tak jak poprzedniego dnia, zażądała, by nie odsłaniać okien. A gdy dziewczynka wybierała się do szkoły, zawołała:

– Zostań tu i podziwiaj mnie!

Dziewczynka nie poszła więc do szkoły i cały dzień oklaskiwała popisy gwiazdki. Wieczorem była już tym porządnie zmęczona, ale kiedy chciała położyć się do łóżka, gwiazdka zaprotestowała:

– Nie śpij, podziwiaj mnie!

– Gwiazdko, a może byśmy porozmawiały? – poprosiła dziewczynka. – Widziałaś tyle ciekawych i pięknych rzeczy. Opowiedz mi o dalekim świecie, odległych krajach, innych ludziach i o tym, co widać z góry.

– Nie mogę – powiedziała gwiazdka. – Gdy lśnię na niebie, nie obchodzi mnie to, co się dzieje na świecie. To takie nudne! Wolę oglądać swoje odbicia w taflach wszystkich jezior na Ziemi i podziwiać, jak pięknie mrugam. Patrz, jak wspaniale tańczę, patrz, jak cudownie błyszczę!

Dziewczynka mimo zmęczenia całą noc podziwiała występy niezmordowanej gwiazdki, oklaskując kolejne salta i serie mrugnięć. A rano, kiedy miała iść do szkoły, zasnęła.

Wieczorem obudził ją lament gwiazdki:

– Daj mi coś do jedzenia. Jestem strasznie głodna.

– A co jedzą gwiazdki? – spytała dziewczynka. – Mam tylko karmę dla kota.

– No wiesz? – oburzyła się gwiazdka. – Chcesz karmić mnie tym samym, co kota? I mam jeść z podłogi? Przynieś mi kilogram złotego pudru, dwa kilo srebra w granulkach, trzy diamenty marynowane w mleku z Drogi Mlecznej i sześć westchnień zakochanych par spacerujących pod rozgwieżdżonym niebem.

– Ale skąd ja wezmę to wszystko? – zmartwiła się dziewczynka i zaczęła płakać. Akurat w tym momencie nad domem dziewczynki przelatywała ta sama dobra wróżka i znów usłyszała szloch i lament. Była dobra, więc wzruszył ją smutek dziewczynki i postanowiła spełnić jej życzenie.

– Chciałabym – powiedziała dziewczynka – żeby gwiazdka wróciła na niebo.

Wróżka położyła sobie gwiazdkę na otwartej dłoni i dmuchnęła, a ta poszybowała w górę do swoich sióstr i braci. Gdy była już tak wysoko, że wyżej się nie da, wymościła sobie wygodny dołek w podniebnym granatowym aksamicie i zaczęła mrugać, bo właściwie tylko tyle umiała.

A dziewczynka odsłoniła zasłony i wyszła na podwórko, żeby pobawić się i porozmawiać z koleżankami. A kiedy nocą patrzyła w niebo, nie potrafiła odróżnić swojej gwiazdki od innych.

Tak oto dobra wróżka spełniła dwie prośby dziewczynki.

Złe wróżki

Jeśli miałoby się spotkać na swej drodze złą wróżkę, to już lepiej nie spotykać nikogo. Nawet na bezludnej wyspie. Nigdy nie wiadomo, co takiej jędzy się nie spodoba, a jak coś się jej nie spodoba, może zechcieć ukarać napotkaną osobę za coś, co sobie ubzdura. Nigdy nie wiadomo także, co się jej spodoba, a jak coś się jej spodoba, to za wszelką cenę będzie chciała to coś mieć, nie zważając na nic i na nikogo. Złe wróżki lepiej omijać szerokim łukiem jak brudną kałużę albo gniazdo os. To jedne z najmniej sympatycznych istot na Ziemi. Albo raczej jedne z najbardziej niesympatycznych.

Złe wróżki spotykają się od czasu do czasu z syrenami – to ich bliskie kuzynki. Przyjaźnią się od zawsze, a największą przyjemność sprawiają im opowieści o tym, komu zrobiły coś paskudnego albo kogo skrzywdziły. Łączy je okropny charakter i chęć szkodzenia innym – dla zabawy.

Dwie lewe nogi

Złe wróżki zawsze mają fatalny humor i zawsze są wściekłe. Jak twierdzą niektórzy wróżkolodzy, mają dwie lewe nogi, więc każdy dzień rozpoczynają w ponurym nastroju i nie ma na to rady. Kiedy tylko otworzą oczy, natychmiast szukają okazji, żeby zrobić komuś przykrość. Rano najbardziej lubią kopnąć psa, rzucić metalowym kubkiem w kota albo strzelać do papugi pestkami z czereśni. Jeśli nie mają okazji, żeby poznęcać się nad kimś żywym, kruszą kamienie na piasek i rozłupują drzewa na zapałki.

Wiedźma na przyjęciu

Kiedy zła wróżka idzie na przyjęcie, nie wynika z tego nic dobrego. Wiedźma bawi się znakomicie, gdy pod wpływem jej czaru zimna woda w kubku któregoś z gości zamienia się we wrzątek, a gość ów, zupełnie nieświadomy przemiany, podnosi kubek do ust i pociąga duży łyk. Bardzo też poprawia jej nastrój zamienianie migdałów w marcepanowym cieście w piasek lub kamyki. Jest w siódmym niebie, jak ktoś bierze ciasto z talerza, odgryza kawałek i zaczyna gryźć, a zwłaszcza jeśli ten ktoś trafi na kamyk i wyłamie sobie ząb.

Reumatyzm

Ulubionym miejscem złych wróżek jest Sahara – ogromna piaszczysta pustynia w Afryce, na której za dnia jest potwornie gorąco, a nocą straszliwie zimno, i gdzie nie ma ani skrawka cienia, ani żadnego miejsca, w którym można by się ukryć. Całymi dniami żar leje się z nieba i spopiela wszystko dookoła. A złe wróżki to uwielbiają. Przylatują na Saharę i zakopują się w parzącym piasku – z tego powodu niektórzy utrzymują, że nie dość, że wiedźmy mają dwie lewe nogi, to na dodatek są to nogi powykręcane szpetnie reumatyzmem. Zakopywanie się w gorącym piasku ma ponoć zmniejszyć owe dolegliwości. Nikt jednak nie dowie się nigdy, czy to prawda, bo niby jak? Nikt przecież nie zapyta o to złych wróżek.

Pułapka na pustyni

Leżą sobie złe wróżki na Saharze zakopane w piasku aż po sam czubek spiczastego nosa. A przez Saharę wędrują karawany kupców i podróżników, a w każdej karawanie człapią wielbłądy objuczone przeróżnymi towarami. Leżą więc sobie złe wróżki zagrzebane w piasku i nagle czują, że w nosie zaczyna je kręcić jakaś woń. Co to takiego? Zmęczeni ludzie? Nie! Zmęczone wielbłądy? Nie! Więc co? Przewożone przez kupców diamenty i złoto. W tej samej chwili w złych wróżkach budzi się zachłanność i złodziejska natura. Błyskawicznie zamieniają się w oazę: piękną sadzawkę otoczoną palmami, w których cieniu każdy znużony wędrowiec znajdzie wytchnienie. Wędrowcy spoglądają na mapy i dziwią się: „Co to za oaza? Skąd się tu wzięła?". Są jednak bardzo zmęczeni i to zmęczenie jest silniejsze niż wątpliwości. Zatrzymują się i siadają w chłodnym cieniu. Niejeden zadaje sobie pytanie: „Skąd taki chłodny cień w tak gorące południe?". Ale są tak znużeni, że chwila odpoczynku staje się ważniejsza niż ostrożność. W końcu ktoś wstaje, by zaczerpnąć wody z jeziorka, a po chwili piją ją wszyscy i dziwią się: „Skąd taka słodka woda pośrodku morza piasku?". Ale woda jest tak pyszna, że nie da się jej nie pić. Wkrótce wszyscy zasypiają. I nigdy się już nie obudzą. Sadzawka i palmy znikają, a spod piasku wyskakuje zła wróżka, przeszukuje torby i zabiera złoto i diamenty. A śpiących ludzi i zwierzęta zasypuje piasek.

Wybory miss

Dawno, dawno temu złe wróżki postanowiły urządzić sobie wybory miss. Pewnego paskudnego, deszczowego i pełnego dżdżownic dnia zebrały się na skraju błotnistego bajora, nad którym miał się odbyć konkurs.

– Mamy jakieś idiotyczne i bezsensowne wybory miss – zaczęła jedna – ale nie wiemy, co trzeba zrobić, żeby wygrać?

– Musimy pokazać, co potrafimy – stwierdziła druga.

– Musimy się zaprezentować z jak najgorszej strony – dodała trzecia.

I urządziły zawody: która ma bardziej zepsute zęby, która bardziej śmierdzi, która jest najgłupsza, a która najwredniejsza, która najbardziej fałszuje, a która wyrządziła ludziom najwięcej krzywdy.

Te i inne podobne konkurencje nie przyniosły rozstrzygnięcia, więc zdenerwowane wiedźmy zaczęły się obrzucać obelgami, obrażać, demonstrować, jak krzywo kuśtykają, garbić się i przedrzeźniać, bo uważały, że udział w konkursie na najbrzydszą złą wróżkę świata do czegoś w końcu zobowiązuje. Rozpętało się piekło. Nie minęło kilka chwil, a już wszystkie skakały sobie do oczu. Targały się za włosy, szarpały, szturchały, kopały i opluwały nawzajem. Rychło znudziły je rękoczyny, zaczęły więc atakować się czarami. Jedna z nich na przykład wrzeszczała tak do drugiej:

– Ty wredna, głupia jędzo, do końca życia będziesz zaślinioną ropuchą!

I wykrzykiwała zaklęcie, które miało moc zamieniania w ropuchę każdego żywego stworzenia, z wyjątkiem ropuchy oczywiście. Ponieważ jednak zaklęcie trafiło w wiedźmę, która znała antyczar, więc zamiana w ropuchę udała się tylko do połowy. I teraz ta pół ropucha, pół jędza darła się na swoją koleżankę:

– A ty, głupia małpo, do końca życia będziesz śmierdzącym nietoperzem!

I wywrzeszczała zaklęcie, które rzecz jasna zadziałało tylko do połowy, bo przeciwniczka znała antyzaklęcie. Nie minęło pół godziny, a banda złych wróżek wyglądała jak stado dziwolągów posklejanych z przeróżnych stworzeń i przedmiotów. Historia niewiele zna podobnie ohydnych widoków. Przez następne dwa tygodnie wiedźmy siedziały dzień w dzień i noc w noc na brzegu błotnistego bajora i odczarowywały się nawzajem. Na tyle oczywiście, na ile się dało.

Czy wróżki zawsze są kobietami?

Choć w przypadku wróżek rzadko się to zdarza, tym razem można powiedzieć coś z całkowitą pewnością:

tak, wróżki zawsze są kobietami. Przynajmniej na naszej planecie.

Dlaczego tak jest? Odpowiedź na to pytanie jest równie prosta, choć już nieco mniej konkretna: A kto to wie? Jeśli kogoś to nie zadowala, jest jeszcze inna odpowiedź: Bo tak!

Czy naprawdę nie istnieją męskie wróżki? Oczywiście, że nie. Kiedyś uważano, że elfy, które występują w przyrodzie tylko jako panowie, są męskim odpowiednikiem wróżek-pań, ale to stwierdzenie nie ma nic wspólnego z prawdą. Elfy to elfy, wróżki to wróżki. Mogą się kolegować albo przyjaźnić, kłócić, a czasem nawet bić, mogą też żenić się i wychodzić za siebie za mąż, choć małżeństwo rozumieją zupełnie inaczej niż my. Ale nie ma elfa kobiety i wróżki mężczyzny. Chyba że w przebraniu na balu maskowym.

W bajkowym świecie tak już jest, że krasnoludki i elfy to panowie, a wróżki to panie. Wszystkie inne stworzenia zaludniające powietrze, ziemię i wodę, jak choćby wodniki, południce, utopce, wiły, rusałki czy ubożęta, też zawsze są albo panami albo paniami. Taki jest porządek rzeczy, a porządek to najważniejsza rzecz.

Trudna droga do ołtarza

Małżeństwa wróżek i elfów, choć rzadko, jednak się zdarzają. Zawsze jest to sporą sensacją, a tłumy gapiów przyjeżdżają nawet z najdalszych zakątków świata, żeby podziwiać uroczystość. Co jest powodem takiego zainteresowania? To, że wróżka zdecydowała się zaufać elfowi, a elf wróżce. Zazwyczaj mają z tym spory kłopot. Wróżki zarzucają elfom, że są za mało tajemnicze, że zajmują się bzdurami oraz to, że okropnie plotkują i mielą jęzorami na prawo i lewo. Elfy twierdzą, że wróżki się ich po prostu czepiają i niepotrzebnie łapią je za słowa.

Za najlepszy przykład nieporozumień na linii wróżki-elfy uchodzi stara opowieść o wróżce (nazywała się Cyńja Wytworna) i jej adoratorze, elfie (o imieniu Absztyfikant). A było to tak: pewnego razu elf spotkał nadzwyczaj urodziwą wróżkę, zakochał się w niej na swój elfi sposób i postanowił zdobyć jej serce. Umówił się z nią, a w drodze na spotkanie nazrywał trochę polnych kwiatów. Następnie stanął pod jej balkonem i rozrzucając dookoła kwiaty, zawołał po prostu:

– Piękna wróżko, Cyńjo Wytworna, chciałbym prosić cię o rękę!

Cyńja wyjrzała przez okno, zobaczyła zielonego elfa i odpowiedziała:

– O, Absztyfikant. Tak od razu o rękę? Najpierw poproś mnie o mały palec. Zobaczymy, czy się zgodzę.

Elf odszedł jak niepyszny, ale wrócił następnego dnia i zawołał:

– Wróżko nadobna, Cyńjo Wytworna, jesteś najpiękniejsza pod słońcem.

Cyńji spodobało się to oświadczenie, więc zaprosiła Absztyfikanta na filiżankę herbaty. Rozmowa była bardzo sympatyczna, więc umówili się na kolejne spotkanie następnego dnia. Dobry humor Cyńji skończył się jednak, kiedy rano koleżanka doniosła jej, że widziała Absztyfikanta, jak o północy smalił cholewki do innej wróżki. Kiedy przyszedł na umówione spotkanie, urażona Cyńja, nie przebierając w słowach, wygarnęła mu prosto z mostu:

– Co ty sobie wyobrażasz, zielona ohydo? Opowiadasz mi, że jestem najpiękniejsza pod słońcem, a potem mydlisz oczy innej?

Elf stropił się, zastrzygł spiczastymi uszami, zaczął nerwowo poklepywać się po kieszeniach zielonego surduta, a po chwili odrzekł:

– Cyńjo droga, wróżko przeurocza, zaszło małe nieporozumienie. Mówiłem ci przecież, żeś najpiękniejsza pod słońcem, a więc od świtu do zmroku. Nocą moje serce do innej należy.

Cyńja zdenerwowała się.

– Za dnia do ciebie, a nocą moje serce do innej należy – przedrzeźniała Absztyfikanta. – Wiesz co, elfie? Lepiej zjeżdżaj spod mojego balkonu.

Po czym prychnęła gniewnie:

– Faceci!

I znowu kazała mu zjeżdżać. Elf odszedł, mrucząc pod nosem:

– Kobiety!

I było po miłości.

Wróżki w XXI wieku
(wróżki miejskie)

Przez całe wieki wróżki trzymały się z dala od ludzkich siedzib. Jeśli pojawiały się w pobliżu

miast i wsi, to tylko przejazdem lub po to, by coś załatwić. Z biegiem lat coś jednak

zaczęło ulegać zmianie, a wróżki niepostrzeżenie pojawiły się wśród ludzi.

Wróżki mieszkające w miastach są małe lub bardzo małe, a życie upływa im na psotach i zabawach.

Kiedyś wylegiwały się nad brzegami leśnych strumieni, dziś wolą sofy i tapczany. Wróżki,

które zdecydowały się na zmianę tradycyjnego trybu życia i porzuciły leśne ostępy, łąki i pola,

przeprowadzając się do miast, nie cieszą się sympatią pozostałych. Dla wróżek tradycjonalistek

takie zachowanie to dziwactwo albo uleganie chwilowej modzie, która wkrótce się skończy.

Ta chwilowa moda trwa już jednak ponad sto lat. Dla ludzi to szmat czasu, ale nie dla wróżek.

Co robią wróżki w miastach? Wszystko, co im przyjdzie do głowy.

Miejskie wróżki wodne

Nie zdarzyło się wam nigdy, że po odkręceniu kurka razem z wodą z kranu wyleciała wróżka? Nie wierzę. Po prostu nie zwróciliście na nią uwagi, bo była prawie przezroczysta. Miejskie wróżki wodne mieszkają zazwyczaj w rynnach i rurach wodociągowych. Uwielbiają deszcz, bo kiedy pada, mogą zjeżdżać rynnami jak na zjeżdżalni w parku wodnym. Im wyższy budynek, tym lepsza zabawa. Jeszcze lepsza jest zabawa w chowanego z kotami. Wystarczy zakraść się do czyjegoś mieszkania, wystawić głowę przez kran w kuchni i zawołać, a wizytę zaintrygowanego kota ma się jak w banku. Nie widzieliście nigdy kota siedzącego na zlewie albo na brzegu wanny, wpatrującego się w kran lub dziurę, przez którą odpływa woda? Widzieliście? A więc teraz już wiecie, kogo koty tak wypatrują.

Ale najlepszy ubaw jest w nocy. Wówczas psotne miejskie wróżki wodne zakradają się do łazienek i urządzają sobie wyścigi na mydle, kąpią się w perfumach i rozsypują proszek do prania. A ile zabawy mają z wacikami kosmetycznymi!

#1

Elektryczne wróżki

Niektóre miejskie wróżki mieszkają w gniazdkach elektrycznych. Łatwo poznać, że są w domu – wkładasz wtyczkę do kontaktu, a tu sypią się iskry! Tajemnicze awarie żarówek to także sprawka wróżek. Wchodzisz do ciemnego pokoju, zapalasz światło, a tu błysk i trzask! Przepaliła się żarówka. Ale nie myśl, że sama z siebie! Elektryczne wróżki wykorzystują żarówki zupełnie do czego innego niż ludzie – uwielbiają w nich spać. No więc śpi sobie taka wróżka w żarówce cały dzień, śni jej się coś elektryzującego, a tu nagle, jak coś ją nie kopnie! Jak nie szarpnie! Jak nie oślepi! Koszmar. A to tylko ktoś wszedł do ciemnego pokoju i włączył światło. Przerażona wróżka zrywa się na równe nogi, potyka o druciki w żarówce, druciki pękają i bach! Żarówka przepalona. A widzieliście kiedyś, jak żarówka nagle zaczyna mrugać? Na pewno widzieliście. Co jest tego przyczyną? Jeśli w jakimś kablu w ścianie zbierze się zbyt wiele wróżek, robi się ciasno i prąd nie ma jak płynąć. Wróżki elektryczne uwielbiają pływać w prądzie, bo nie wiem, czy wiecie, że prąd płynie w przewodach jak rzeka. Kładą się na plecach, zakładają ręce pod głowę i płyną sobie, dokąd je elektrony poniosą. Muszą tylko uważać, gdzie rwący nurt prądu je wyrzuci. Lądowanie w żelazku albo tosterze nie jest zbyt przyjemne, bo można się poparzyć. Podobnie ma się sprawa z czajnikiem, nikt nie lubi przecież kąpieli we wrzątku. W lodówce jest za zimno. O mikserze lepiej nawet nie wspominać, gdyż taka karuzela wróżkom nie odpowiada. Najprzyjemniej jest wylądować w telewizorze. Ludzie przed ekranem podbiegają wtedy i stukają w odbiornik, bo myślą, że powstały zakłócenia. Wróżki lubią obserwować ludzi przez szklaną szybę, wiedząc, że oni ich nie widzą.

Wróżki zamieszkujące filmy

Niektóre wróżki zamieszkują filmy. Wskakują do środka i zwiedzają je jak ludzie obce miasta na urlopie. A kiedy im się znudzi, przenoszą się do kolejnego filmu. Po jakimś czasie tracą zainteresowanie czymkolwiek innym, a nierzadko zakochują się w przystojnych aktorach. Ulubione filmy wróżek to romantyczne komedie i w ogóle filmy o miłości oraz bajki.

Czy wróżki są ze sobą spokrewnione?

Wszystkie wróżki uważają się za siostry, za jedną wielką rodzinę, choć często związki między nimi są bardzo, bardzo odległe. Dawno, dawno temu, tak dawno, że nawet same wróżki nie pamiętają, kiedy to było, ktoś wypowiedział magiczne zaklęcie, którego skutki odczuwamy do dziś. Co to za zaklęcie? Kto je wypowiedział? Nie pytajcie o to wróżek, bo także tego nie wiedzą. A jakie to skutki? Odpowiedź na to pytanie jest dziecinnie łatwa: skutkiem tajemniczej, czarodziejskiej formuły wypowiedzianej w prastarym języku, którym nikt już nie mówi i którego nikt nie rozumie, są wróżki. Zaklęcie działa do dziś. Skąd to wiadomo? Bo na świecie wciąż pojawiają się nowe wróżki, czar bowiem powołuje je do istnienia. Czy to zaklęcie było karą czy nagrodą? Może ktoś chciał skazać kogoś na wieczną tułaczkę po Ziemi, przestworzach i wodach? Na te i inne pytania nie znamy odpowiedzi. Możemy tylko snuć domysły, opowiadać sobie zasłyszane historie i wymyślać baśnie.

Tajemnice bez tajemnic

Niektórzy twierdzą, że wróżki to jedyne istoty z bajkowego świata, które nie mają przed sobą tajemnic, i że wszystkie wiedzą o sobie i świecie to samo. Jeżeli jedna z nich dowie się o czymś albo czegoś nauczy, od razu wiedzą o tym lub umieją to wszystkie. Dzięki temu zajmują najwyższą pozycję wśród istot zamieszkujących naszą planetę. Jak to się dzieje? Podobno mają wspólną pamięć – tak jakby były jedną wielką wróżką w tysiącu osobach jednocześnie. W każdej sekundzie – jeśli tylko chcą – wiedzą, co robi i co myśli każda z nich. Wróżki, choć mogą śledzić poczynania swych sióstr, nie mają wpływu na to, co one robią. Dlatego każda może się zachowywać, jak zechce. To właśnie z tego powodu żadna z dobrych wróżek nie mogła powstrzymać złej wróżki, która zastawiła pułapkę na Śpiącą Królewnę. Mogły tylko, przeczuwając jej haniebny postępek i zły czar, zawczasu wymyślić coś, co go odwróci i odczaruje nieszczęsną królewnę.

Pierwsza wróżka

Dzięki tej wyjątkowej wspólnej pamięci, która przechowuje wspomnienia z tysięcy lat, wróżki potrafią przenieść się do chwili, gdy pierwsza z nich otworzyła oczy w bukowym lesie. Kiedy spotykają się od czasu do czasu z jakiejś okazji albo po prostu dla przyjemności, często zamykają oczy i przeżywają nie wiadomo który już raz tę chwilę. Nagle znika ciemność, a w wyobraźni wróżek otwiera się zielona kraina pełna ogromnych paproci. Tak wysokich, że dzisiejsze drzewa wyglądają przy nich jak krzaczki poziomek.

Podczas takich spotkań wróżki nie opowiadają sobie śmiesznych czy wzruszających historii z dawnych czasów. Jeśli mają ochotę coś powspominać, milkną, zamykają oczy i wspólnie przenoszą się pamięcią do czasów, w których to się wydarzyło. Na tym jednak się nie kończy. Wspomnienia wróżek, nawet te najstarsze, sprzed setek i tysięcy lat, są tak samo realne jak dzisiejsza rzeczywistość, a osoby, których dotyczą, spotykają się z wróżkami, rozmawiają z nimi swobodnie i odpowiadają na ich pytania. Jedyna trudność polega na tym, że aby przedrzeć się przez miliony wspomnień tysięcy wróżek, trzeba się dobrze w nich orientować, w przeciwnym razie można się zgubić. Historia zna takie przypadki, kiedy nieprzygotowana wróżka zabłądziła we wspomnieniach swoich prasióstr i praprasióstr, i zasnęła na czterysta lat, bo tyle czasu zajęło jej znalezienie drogi powrotnej do współczesności.

Wyprawa do kresu wspomnień

Pewnie zastanawiacie się, czy wróżki próbują jakoś dotrzeć do wspomnień swej pierwszej siostry? Albo co się stało z pierwszą wróżką? Są tacy, którzy twierdzą, że czasem, ale bardzo, bardzo rzadko, można zobaczyć, jak w księżycowe noce przechadza się powoli nad brzegami jezior lub po ścieżkach ciepłych lasów, zapatrzona przed siebie, zamyślona. Wyłania się nagle z pnia drzewa, kamienia albo strumienia, a po chwili wsiąka w mgłę lub niknie w innym drzewie. Nawet wróżki nie wiedzą, czy to wspomnienie, sen, zjawa czy ich praprasiostra… Zresztą niespecjalnie je to interesuje, wiedzą już bowiem, a właściwie pamiętają, jak jakiś czas temu jednej z nich udało się dotrzeć na samo dno ich wspólnej historii. Droga nie była ani krótka, ani łatwa. W odleglejszych wspomnieniach wróżki mówiły starodawnymi językami, których dziś już nikt nie zna. Gdy więc spo-

tkały się w najdalszych wspomnieniach, musiały prosić młodsze prawróżki o tłumaczenie. Kiedy dotarły do celu wędrówki, spostrzegły, że jest ich kilkanaście. Gdy najmłodsza z nich zadała pytanie najstarszej, kilkanaście coraz starszych sióstr ze wspomnień przekazywało je sobie po kolei, tłumacząc na zrozumiały im, coraz starszy język. Przypominało to trochę zabawę w głuchy telefon. Nie ma więc pewności, że pytanie, które usłyszała najstarsza wróżka, było tym samym, które zadała najmłodsza. O co zapytała najmłodsza? Zapytała: „Skąd się wzięłyśmy? Kto wypowiedział zaklęcie, które ciągle nas stwarza? Dlaczego je wypowiedział?". Co usłyszała w odpowiedzi? „Życie na wieki, sen na wieki, wspomnienia na wieki". I wcale nie miała pewności, że odpowiedź, jaką jej przekazano, była tą, której udzieliła najstarsza wróżka.

Wróżki a elfy

Tak naprawdę z wróżkami nic ich nie łączy (no, może prawie nic) – nie mają wspólnych przodków ani krewnych. Co nie znaczy, że nie utrzymują z nimi kontaktu. Zdarza się nawet, choć bardzo rzadko, że dobierają się w pary. Kiedyś sądzono, że są męskimi odpowiednikami wróżek, ale okazało się, że to nieprawda. Zamieszanie dodatkowo potęguje fakt, że część elfów jest płci żeńskiej, oraz to, że są takie miejsca na Ziemi, gdzie nazw „elf" i „wróżka" używa się zamiennie.

Spiczaste uszy

Elfy to najbardziej zmienne istoty w świecie bajek i legend. W różnych czasach, w różnych zakątkach świata różnie wyglądają. Niektóre są ludzkiego wzrostu, ale bywają także większe i dużo, dużo mniejsze. Są dobre i złe, płci męskiej i żeńskiej, imają się przeróżnych zajęć, mieszkają wszędzie, a od czasu do czasu bywa i tak, że elfem zostaje człowiek. Podobno mają swojego króla. Nie zmienia się tylko jedno – spiczaste uszy. Mają je teraz, miały dawniej, i zawsze będą mieć. Nawet te, które porzuciły porastające Europę zielone lasy i przeniosły się na biegun północny, by razem z krasnoludkami pomagać Świętemu Mikołajowi.

Wywodzą się z pradawnych puszcz Starego Kontynentu, ale razem z ludźmi podróżowały po całym świecie w czasach, kiedy podstawowym środkiem transportu były trzeszczące drewniane statki przemierzające oceany pod łopoczącymi na wietrze żaglami. Wiele nowych miejsc na odległych lądach spodobało im się na tyle, że postanowiły tam zostać.

Rzeczny wąż

Po zakończeniu epoki lodowcowej elfy nauczyły krasnoludki pić wodę. Nim to się stało, krasnoludki zaspokajały pragnienie, gryząc lód – w epoce lodowcowej lodu było bowiem pod dostatkiem, a wody jak na lekarstwo. Krasnoludki rozłupywały bryłki lodu na drobne kawałki, które potem zawzięcie chrupały

– dodajmy – bez przyjemności, bo lód szczypał je w zęby. Czy nie można było stopić lodu w jakimś kociołku? Niestety, nie – w tamtych mroźnych czasach krasnoludki nie umiały jeszcze rozpalać ognia. Nauczyły się tego znacznie później, także od elfów, które dość dobrze radziły sobie z kowalstwem.

W epoce, o której mowa, o wodzie zapomniano także z innego powodu. Trwała ona tak długo, że nawet ci, którzy żyli przed jej nastaniem, niewiele pamiętali z tamtych na poły legendarnych czasów, a mgliste wspomnienia mieszały im się ze snami. Kiedy na świecie zrobiło się cieplej, lód zaczął topnieć, a woda coraz śmielej spływała z gór w doliny. Gdy krasnoludki po raz pierwszy zobaczyły rzekę, były przerażone. Myślały, że to ogromny wąż, tak długi, że, być może, wypełnia sobą całą wielką górę. Skąd mogły wiedzieć, jakie miał zamiary? Może był groźny? Albo głodny? Krasnoludki uciekły w popłochu i ukryte w bezpiecznej odległości zaczęły zastanawiać się, jak długi może być ten dziwny lśniący wąż. Mijał dzień za dniem, a przezroczysty wąż wciąż płynął i płynął. I gdyby nie elfy, które wyjaśniły krasnoludkom zagadkę rzeki i wody, którą można zaspokoić pragnienie, pewnie siedziałyby tam do dzisiaj.

Co bardziej romantyczne i muzykalne elfy wybierają się czasem na spacer na brzeg oceanu. Długo przechadzają się tam i z powrotem w blasku Księżyca w nadziei na spotkanie syren, uwielbiają bowiem śpiewać razem z nimi. Od syren nauczyły się zaklęć pozwalających zamienić garść kamyków w perły, a korzeń sosny w koralowiec. Dzięki syrenom potrafią także zamieniać ludzi w puste muszle, na których wygrywają potem swoje melodie. Z tej umiejętności korzystają na szczęście tylko czarne elfy, które dość rzadko zapuszczają się nad brzeg oceanu.

Pomysłowość elfów nie zna granic, gorzej z praktycznym myśleniem. Kiedyś na przykład z nudów wymyśliły koło, ale nie wiedziały, do czego mogłoby się przydać. Dopiero ludzie, którzy znaleźli porzucony przez elfy dziwaczny przedmiot, wpadli na to. W ten sposób wynalazek elfów zrewolucjonizował transport i komunikację.

Wróżki a czarownice

Jaka jest różnica między wróżką a czarownicą? Zasadnicza. Wróżką, nawet złą, trzeba się urodzić. Żeby zostać czarownicą, trzeba tego bardzo chcieć. Ale to nie wystarczy. Konieczna jest jeszcze pomoc czarnoksiężnika. Bez niej kandydatka na czarownicę może zostać co najwyżej jędzą. Czym się różni czarownica od jędzy? Czarownica uprzykrza ludziom życie za pomocą czarów. Jędza czarów do tego nie potrzebuje.

Przyjaciółki

Czarownice są łatwym łupem dla złych wróżek, które wykorzystują je do swoich niecnych planów. Mówiąc szczerze, złe wróżki uwielbiają czarownice, z powodu naiwności tych ostatnich. Udają ich serdeczne przyjaciółki, częstują ciasteczkami ze zgniłych ziemniaków i grillowanymi dżdżownicami (podobno przepyszne), zapraszają na romantyczne spacery po oczyszczalni ścieków, zdradzają jakieś mało istotne zaklęcia, a wszystko po to, by oszołomiona i zachwycona czarownica tańczyła tak, jak zła wróżka jej zagra. I kiedy zła wróżka rozkaże jej coś zrobić, czarownica wykona to bez wahania. Ale zła wróżka nie byłaby sobą, gdyby na tym sprawa się kończyła. O nie! Teraz nadchodzi czas na to, co najprzyjemniejsze – na ukaranie czarownicy za to, że niby źle wywiązała się z powierzonego jej zadania.

101 pokoi

Czarownice z reguły nie mają zbyt wielkich wymagań, jeśli chodzi o mieszkanie. Wystarczy im jakaś chatynka sklecona z desek i gałęzi, dziura pod korzeniami wielkiego drzewa, dziupla w spróchniałym pniu, wyrzucony na śmietnik stary but albo opona z koła traktora lub wciśnięta w kąt warsztatu beczka po oleju silnikowym. Co innego złe wróżki. Dla nich pałac o stu komnatach to absolutne minimum. A jeszcze lepiej o stu jeden komnatach, bo przecież nie można się obejść bez pełnej karaluchów zagrzybionej klitki w piwnicy dla niezapowiedzianego gościa. Jeszcze lepsze są dwa pałace o stu jeden komnatach, stojące tuż obok siebie. Złych wróżek jednak prawie nikt nie odwiedza, one same też nie składają sobie nawzajem wizyt, bo wiadomo, czym by się to skończyło: bijatyką, próbą otrucia, zniszczenia zamku lub porwania posłusznych czarownic. Pustelniczy tryb życia też im jednak nie służy, więc i tu czarownice okazują się niezastąpione, można je bowiem zaprosić, a potem traktować jak powietrze.

Lustro

Jako przestrogę przed zbytnią izolacją złe wróżki powtarzają sobie historię jednej ze swych sióstr, która po kilkuset latach spędzonych na Ziemi postanowiła przenieść się w jakieś bardziej odludne miejsce. Wybrała Neptuna, odległą planetę Układu Słonecznego, na którą nawet kosmiczny pies z kulawą nogą nie zagląda. Za pomocą magicznego zaklęcia zbudowała sobie na Neptunie pałac o stu jeden komnatach, potem drugi, potem trzeci, czwarty, piąty, dziesiąty, setny… W końcu całą wielką planetę miała dla siebie. Z pozoru wszystko było super, ale tylko z pozoru. Bo komu na takim kosmicznym pustkowiu zła wróżka ma robić na złość, skoro w pobliżu nie ma ludzi ani nawet czarownicy? Z braku innych możliwości zła wróżka zaczęła robić na złość samej sobie. Najpierw zaklęciami niszczyła pałace i zamki, które zbudowała, potem – też zaklęciami – odbudowywała je. I tak w kółko. Po pewnym czasie przestało jej to wystarczać i zaczęła nękać samą siebie. Biegała po pustych pałacach i próbowała straszyć samą siebie. Z przerażającym wrzaskiem wypadała zza zakrętu korytarza albo zza szafy, usiłowała spaść na samą siebie z żyrandola (ale kiepsko jej to wychodziło), wyskakiwała spod stołów i fortepianów. I udało się jej. Była złą wróżką, więc kiedy biegła korytarzem, potrafiła sama siebie wyprzedzić, a potem sama się na siebie zaczaić za rogiem i sama na siebie naskoczyć. Za którymś razem przesadziła. Zastawiła na siebie pułapkę, a kiedy w nią wpadła, tak ją to wystraszyło, że uciekła z Neptuna w kosmos. I nikt jej od tej pory nie widział. Pewnie błąka się gdzieś między czarnymi dziurami i czerwonymi karłami w poszukiwaniu drogi donikąd.

Część złych wróżek uważa, że ich nieszczęsna siostra, stwarzając kolejne pałace i urządzając je, pochopnie umieściła na jednej ze ścian lustro. I w czasie swych szalonych rajdów po zimnych i ciemnych korytarzach spojrzała przez ułamek sekundy w jego martwą taflę. To właśnie był początek jej żałosnego końca, w przeciwieństwie bowiem do czarownic, które uwielbiają przeglądać się w zwierciadłach, złe wróżki panicznie się ich boją.

Pułapka

Zamczyska złych wróżek są bardzo ponure. Najczęściej wypełnia je ciemność, od najgłębszych piwnic i lochów po szczyty wież. Ciemność tak gęsta, że nie można w niej dostrzec czubka własnego palca. A co dopiero kogoś innego! W takiej ciemności nie widać nawet, że człowiek ma dobre serce.

Nie zdarzyło się jeszcze, żeby ktoś, kogo zła wróżka zaprosiła do swego zamku, wrócił do domu cały i zdrowy. Z takich miejsc albo się nie wraca, albo wraca tak odmienionym, że znajomi otwierają szeroko oczy ze zdumienia. Co gorsza, aby zmylić ofiary, złe wróżki potrafią czarami zmienić zamek w ogród albo galerię handlową. Na szczęście nie umieją nikogo zmienić w czarownicę.

Jeśli zatem ktoś nagle przestaje zwracać uwagę na potrzeby innych, cieszy się z ich niepowodzeń i zaczyna im robić na złość, to najprawdopodobniej spędził jakiś czas w zamku złej wróżki. A wtedy można zrobić tylko jedno: wypatrywać dobrej wróżki, która, być może, będzie umiała mu pomóc.

Czarownice dziś

Kiedyś, gdy czarownic było dużo, spotykały się na sabatach. Dziś nie ma ich już prawie wcale, mało kto ma bowiem ochotę na takie niewygodne życie. W dodatku nawet najpiękniejsza kandydatka na czarownicę natychmiast brzydnie, kiedy się nią staje. Ale i tak domaga się bezczelnie, by uważano ją za najpiękniejszą na świecie. Jedynym towarzyszem czarownicy jest lusterko, z którym rozmawia i w którym podgląda innych.

W mieście niełatwo spotkać czarownice, boją się bowiem chlorowanej wody. Zakradają się tam tylko pod osłoną nocy, żeby wleźć na jakieś drzewo w pobliżu dużego parkingu i udawać syrenę alarmu. Złoto nie ma dla nich żadnej wartości, uwielbiają za to błoto, w którym mogą się wylegiwać godzinami. Ponadto łapią do słoików krasnoludki i trzymają je w swoich norach w szklanych akwariach – jak ludzie chomiki. Na szczęście nie zdarzyło się jeszcze, żeby któremuś z krasnoludków nie udało się uciec.

Wróżki a krasnoludki

Na co dzień żyją spokojnie i starają się nie rzucać nikomu w oczy. Pracują, czytają książki, czasem całymi godzinami patrzą, jak rośnie trawa albo rozkwita kwiat. Są dobre – nie potrafią być inne. Wśród części mieszkańców bajkowego świata mają opinię średnio rozgarniętych. Kpią sobie z nich zwłaszcza złe wróżki. Wszystkie te nieco lekceważące opinie o krasnoludkach są niesłuszne i krzywdzące.

Wełniane skarpetki

Krasnoludki mieszkają w opuszczonych mysich norkach, na strychach, w regałach z książkami albo w witrynach z porcelaną (uwielbiają zwłaszcza ślubne zastawy), w szopach albo w dużych szafach, najlepiej starych i głębokich, z mnóstwem półek i półeczek, szuflad i szufladek, wypełnionych pudłami i pudełkami z ubraniami na lato i zimę, butami, czapkami, kapeluszami i wszystkim, co można schować w szafie. W takiej szafie krasnoludek znajduje sobie na przykład ciepłą zimową skarpetkę z owczej wełny – świeżo wypraną! – kupioną na straganie w jakiejś górskiej miejscowości, i ta skarpetka staje się jego domkiem. Zaciąga ją w najdalszy kąt szafy – krasnoludki potrafią wędrować godzinami po jej zakamarkach – włazi do środka i zasypia. Kiedy się już wyśpi, zaczyna znosić do skarpetki najróżniejsze skarby, które znajduje podczas zwiedzania domu i najbliższej okolicy.

Księżniczki

Krasnoludki bez przerwy zakochują się w księżniczkach. I nie ma na to rady. W dodatku zawsze jest to miłość od pierwszego wyjrzenia. Nie przesłyszeliście się: nie wejrzenia, a właśnie wyjrzenia, bo zakochują się w nich tylko wtedy, kiedy na chwilę oderwą się od pracy, żeby wyjrzeć przez okno – i kiedy zobaczą przechodzącą przypadkiem obok piękną księżniczkę, poszłyby za nią na koniec świata i oddały wszystko, co mają.

Z tego właśnie powodu krasnoludki uchodzą za ekspertów od odróżniania księżniczek prawdziwych od fałszywych. Gdybyście znaleźli się kiedyś w takiej sytuacji, wystarczy poprosić o pomoc krasnoludka i pokazać mu przez okno dziewczynę podającą się za księżniczkę. Jeśli krasnoludek się zakocha, to znaczy, że dziewczyna nie kłamie. Jeśli nie, sprawa jest jasna – mamy do czynienia z oszustką. Ta krasnoludkowa metoda jest znacznie szybsza i skuteczniejsza niż podkładanie ziarenka grochu pod materac.

Od czasu do czasu krasnoludki porzucają swój monotonny tryb życia i wykonują zadania powierzone im przez dobre wróżki. Najczęściej pilnują jakiejś osoby, żeby nie stała jej się krzywda, albo wspierają kogoś obarczonego zbyt ciężką pracą. Pomaganie wróżkom to dla nich zaszczyt, przynajmniej tak to traktują. Są bardzo dumne z tego, że takie małe stworzonko może przydać się komuś tak wspaniałemu jak wróżka.

Zły sen

Dawno, dawno temu pewnej złej wróżce udało się znaleźć noc zaklętą w ziarenko piasku przed krasnoludkami. Wypowiedziała zaklęcie i na wiele długich lat świat spowiła ciemność. Nastała epoka lodowcowa, podczas której nie wschodziło słońce. Świat marniał z dnia na dzień. Więdły kwiaty, usychały rośliny, zamarzała woda, a zwierzęta padały z głodu i zimna. Dopiero po wielu latach krasnoludkom udało się znaleźć zrabowane przez złą wróżkę ziarenko. Dotarły do niego, a wróżce dla niepoznaki podrzuciły ziarenko maku. Kiedy wstał świt, wściekła wróżka połknęła drobinkę maku i zasnęła snem, z którego do dziś się jeszcze nie obudziła. A gdy to nastąpi, lepiej nie pytać, co się jej śniło.

Ziarenko nocy

Każdego ranka krasnoludki mają do wykonania pewne bardzo ważne zadanie – muszą ukryć noc przed złymi wróżkami, które chcą, by na świecie na zawsze zapanował mrok. Jak to możliwe? Ano tak: kiedy świt unosi się z poranną mgłą znad spokojnych łąk i nieruchomych tafli jezior, robi się coraz jaśniej i jaśniej – to słoneczny dzień spycha ciemną noc w głąb lasu, otacza ją i ściska, aż w końcu noc kurczy się do rozmiarów ziarenka piasku porzuconego przypadkiem gdzieś w gęstych zaroślach pośrodku prastarej puszczy, w miejscu niedostępnym dla wiatru, ludzi i zwierząt. Zdobycie tego ziarenka to marzenie każdej wiedźmy, bo daje ono władzę nad ciemnością. Gdyby ziarenko wpadło w ręce złej wróżki, na Ziemi zapanowałaby

nieprzenikniona ciemność wszystkich nocy świata. Krasnoludki muszą więc dotrzeć przed złymi wróżkami do miejsca, w którym ono leży, a trzeba wiedzieć, że za każdym razem jest to inne miejsce. To akurat przychodzi im jednak z łatwością – sposób, w jaki widzą kurczącą się noc, przypomina obserwowanie wirującego w powietrzu balonu, z którego gwałtownie uchodzi powietrze. Cała sztuka polega na tym, by zmylić pościg złych wróżek, zdobyć ziarenko nocy i schować je w nieczynnej kopalni srebra, w starych i niedostępnych górach, gdzieś na końcu świata.

Wróżki a syreny

Wielu wróżkologów sądzi, że syreny nie istnieją, a co więcej – nigdy nie istniały. Czy ktoś kiedykolwiek widział syrenę? – pytają. Wróżki, owszem, widuje się. Tak samo elfy. Ale syreny? Opowieści o nich liczą kilka tysięcy lat i pochodzą z czasów, w których ludzie wierzyli w smoki, a do tego uważali, że Ziemia jest płaska i unosi się na powierzchni wielkiego kosmicznego oceanu. Niektórzy sądzą, że syreny zostały wymyślone przez złe wróżki, ot tak, dla zabicia czasu. Według jednej z legend, spośród wszystkich istot baśniowego świata najbliższe wróżkom, a dokładniej mówiąc, złym wróżkom, są właśnie syreny.

Co to za legenda?

Legenda o syrenach

Dawno, dawno temu syreny nie przypominały wróżek – wyglądały jak ptaki z głowami pięknych młodych dziewcząt. Mieszkały na jednej z wysp Morza Śródziemnego o wyjątkowo skalistych brzegach. Syreny pięknie śpiewały. Kiedy w pobliżu wyspy pojawiał się statek, zaczynały nucić pieśń o tym, jak smutne jest życie na skalistej wyspie. Żeglarze, na poły wzruszeni, na poły oszołomieni cudną melodią, brali kurs w stronę, skąd dochodziły tęskne głosy. Nigdy jednak nie dopływali do brzegu, bo ich statki rozbijały się na przybrzeżnych rafach. Rozbitków, którym udało się wdrapać na niedostępne i skaliste brzegi, wyłapywały szybujące w powietrzu syreny i zamieniały ich w kamienie.

Kres złym postępkom syren położył niejaki Odyseusz, bohater bardzo starych greckich opowieści, który pewnego razu przepływał w pobliżu owej niegościnnej wyspy. Rozkazał swoim marynarzom, by zalepili sobie uszy woskiem, a jego samego przywiązali do masztu. Chciał za wszelką cenę usłyszeć pieśń syren, lecz nie zamierzał zamieniać się w kamień. I udało się. Marynarze z zatkanymi uszami pozostali nieczuli na tęskne zawodzenia syren, a Odyseusz, który wszystko słyszał, nie mógł zrobić niczego nierozsądnego, bo stał unieruchomiony przy maszcie. Kiedy marynarze bezpiecznie przepłynęli obok wyspy, syreny wpadły w prawdziwą wściekłość – poczuły się pokonane i poniżone. Wzbiły się wysoko pod niebo i rzuciły się w morze. I słuch po nich zaginął.

Legenda o wróżkach

Czy to prawda? Niektórzy twierdzą, że tak. I dorzucają jeszcze garść informacji: z piór syrenich skrzydeł powstały wszystkie psotne, głupiutkie albo złe nimfy, rusałki, ondyny, wróżki, wiły, wodnice i inne stwory zamieszkujące strumienie, potoki, rzeki, stawy, jeziora, deszczowe chmury i studnie. Kiedy ptasie syreny pogrążyły się w wodzie, jesiotry zaniosły ich pióra w głąb lądów, w górę rzek i do jezior. A stamtąd z deszczem wodne wróżki rozprzestrzeniły się na kolejne obszary – tym na przykład tłumaczy się ich obecność w niektórych studniach, a od czasu do czasu także w kałużach (po deszczu oczywiście). Po czym poznać obecność wodnej wróżki w kałuży? Wystarczy porównać to, co znajduje się nad kałużą, z tym, co się w niej odbija. Jeśli sytuacja przypomina zagadkę typu „znajdź dziesięć szczegółów, którymi różnią się dwa obrazki", nie ma wątpliwości, że w kałuży siedzi przyczajona wróżka i tylko czeka na dogodny moment, żeby czmychnąć gdzieś dalej.

Słona woda

O tym, że złe wróżki i inne wodne duchy łączą z syrenami odległe rodzinne związki, świadczy podobno pewna wspólna cecha: wszystkie dręczy wieczne pragnienie nie do zaspokojenia. Syreny przekazały bowiem swoim młodszym kuzynkom taką oto przypadłość: każdy napój, który wezmą do ust, natychmiast zamienia się w słoną wodę – słoną jak morze albo jak łzy tych wszystkich, którzy kiedykolwiek przez nie płakali.

Półryby

Według innej legendy, kiedy ptasie syreny rzuciły się w morze, nie zginęły, lecz zamieniły się w pół kobiety, pół ryby – dobrze je znamy z zachowanych do dzisiaj marynarskich opowieści oraz z bajek i baśni. Inna legenda mówi, że oba gatunki syren od zawsze istniały równolegle. Komu wierzyć?

Wróżki zawodowo

Rzucanie
i zdejmowanie uroków

Rzucanie uroków to wyższa szkoła jazdy, ponieważ urok jest specyficznym rodzajem czaru. Aby się tego nauczyć, trzeba po mistrzowsku posługiwać się zwykłą magią. Lata treningu okazują się nieocenione.

Czar a urok

Czym różni się zwykły czar od uroku? Jak czytamy w *Podstawach wiedzy o wróżkach* – klasycznym podręczniku wróżkologii autorstwa wybitnego znawcy tematu, profesora Zenobiusza Tombaka – czar dotyczy konkretnej osoby albo przedmiotu. Przykłady? Proszę bardzo: skromny szewczyk dostaje od wróżki jakiś dar albo wróżka zamienia jakiś przedmiot w coś, co jest komuś bardzo potrzebne. W przypadku uroku sprawa jest bardziej skomplikowana, bo urok polega na tym, że wróżka niczego nie daje ani nie odbiera osobie, którą się interesuje. Aby urok zadziałał, musi zaczarować cały świat tej osoby – wszystkich jej znajomych, miejsca, w których przebywa, sytuacje, w jakich się znajduje – urok polega bowiem na tym, że ten, kto mu uległ, ma wrażenie, że cały świat sprzysiągł się przeciwko niemu. Jak można się domyślić, rzucanie uroków to specjalność złych wróżek.

Rzucanie uroków

Przygotowanie skutecznego uroku to ciężka praca. Trwa zazwyczaj około trzech miesięcy, tyle bowiem potrzebuje zła wróżka na dokładne poznanie delikwenta, by w chwili, w której rzuci na niego urok, z pozoru wszystko wyglądało tak samo jak zazwyczaj – delikwent nie może przecież nawet podejrzewać, że wokół niego dzieje się coś dziwnego.

Złe wróżki rzucają uroki tylko na zamówienie – żeby zabrały się do pracy, trzeba skontaktować się z nimi i wskazać im osobę, na której mają skoncentrować swoją uwagę. Nie robią tego za darmo, a cena, jakiej żądają, jest wysoka. Kto zamawia rzucenie uroku na kogoś innego, płaci swoim życiem – wróżki żądają zazwyczaj od pięciu do dziesięciu lat, w czasie których zamawiający urok staje się marionetką w ręku złej

wróżki. Czasami dodatkową zapłatą są wszystkie miłe i radosne wspomnienia zamawiającego, który po uregulowaniu rachunku nagle staje się zgorzkniały, zamknięty w sobie i wrogo nastawiony do wszystkich dookoła. Trudno się dziwić, skoro w pamięci zostały mu wyłącznie złe i bolesne chwile z przeszłości.

Po co złym wróżkom cudze wspomnienia szczęśliwych chwil? Czasami karmią nimi piranie, które hodują w akwariach w swoich zamkach, a czasami nietoperze mieszkające na strychach. Ale najczęściej wnikają w kupione wspomnienia, żeby je po prostu zepsuć – wszystko, co w nich dobre i miłe, zmieniają na złe i smutne, po czym oddają je zamawiającemu.

Zdejmowanie uroków

Dobrze rzucony urok trudno rozpoznać nawet doświadczonym dobrym wróżkom – a tylko one mogą oduroczyć nieszczęśnika. Nie jest to łatwe, bo trzeba ocenić, czy spotykające kogoś niepowodzenia i nieszczęścia to zwyczajne przypadki czy też seria zaprogramowanych wydarzeń. Wróżka zajęta ustaleniem tego bardziej przypomina detektywa niż zwiewną bajkową istotę, ale nie ma innego wyjścia.

Rzucenie uroku na jedną osobę uchodzi za trudne, ale są też wróżki, które potrafią rzucić urok na całe miasto. Na szczęście jest ich niewiele. Właściwie jest ich bardzo mało. Konkretnie – tylko dwie. Nie ma jednak na świecie nikogo, kto byłby w stanie zapłacić im za wykonanie takiego zlecenia, jego cena byłaby bowiem horrendalna.

Czy można rzucić urok na wróżkę? Dobre wróżki twierdzą, że nie, złe utrzymują, że tak. Komu wierzyć? Nie wiadomo. Jako ciekawostkę można podać fakt, że złe wróżki zawsze trzymają w swoich zamkach wielkie czarne psy, po jednym na każdym piętrze, aby w razie czego rzucony urok wylądował na nim. Kiedy wyruszają w drogę, zawsze mają przy sobie koniuszek czarnego psiego ogona. Podobno kiedy ktoś ma zamiar rzucić na złą wróżkę urok, ogon zaczyna ostrzegawczo drżeć.

A kiedy jest już pewna, że ma do czynienia z urokiem, musi się zabrać za odczynianie, co też nie należy do łatwych zadań. Przypomina próbę zatrzymania rozpędzonego pociągu albo kręcących się na wietrze skrzydeł wiatraka – trzeba na chwilę zatrzymać obracający się w lewo świat pechowca, wziąć zamach i na nowo puścić go w ruch, w prawo.

Wróżki a magia

Jeżeli chodzi o białą lub czarną magię, trzeba przyznać, że w tej dziedzinie wróżki należą do najlepiej poinformowanych istot na Ziemi. Można przecież powiedzieć, że magia to ich zawód. W pewnym sensie oczywiście. Alchemią nie interesują się ani trochę. Ale po cóż miałyby się interesować, skoro złota i kosztowności mogą mieć tyle, ile zapragną?

Tę pewność można żywić przynajmniej w stosunku do dobrych wróżek. Ze złymi nigdy nic nie wiadomo. Białą magią zajmują się dobre wróżki, chodzi w niej bowiem o to, jak sprawiać, by zaludniające świat istoty były szczęśliwsze. Czarna magia to domena złych wróżek, które marzą o tym, by wszystkim dookoła uprzykrzyć życie. Dobre wróżki stale prowadzą magiczny nasłuch i sprawdzają, co w wysokiej trawie piszczy i co między stronami książek w bibliotekach szeleści – muszą strzec ludzi przed tym, by wiedza o magii nie dostała się w ich ręce. Złe wróżki odwrotnie – tylko szukają sposobu, by podrzucić komuś książkę z czarami, w nadziei że zrobi sobie krzywdę. A właściwie nie tylko sobie.

Nie ze wszystkich składników złe wróżki są w stanie przyrządzić zaczarowane potrawy. Nie wiadomo dlaczego, ale na ich magiczne zabiegi odporne są: arbuzy, zarówno w całości, jak i rozkrojone, pokrzywy, sok z marchewki, mięta, cytryny, sosnowe szyszki oraz awokado. Co do pokrzyw – warto wiedzieć, że swoje parzące właściwości wytworzyły, by bronić się właśnie przed złymi wróżkami, które w dawnych czasach masowo stosowały je do sporządzania paskudnych mikstur.

Magiczna kuchnia

A jakie mają sposoby, by oszukiwać ludzi! Podrzucają to tu, to tam książkę z czarami, ukrywając ją w okładce zwykłej książki kucharskiej albo poradnika pani domu. I kiedy nieświadoma niczego pani domu chce ugotować urodzinowy obiad dla swego ukochanego męża, robi to według przepisu z książki podrzuconej przez wróżkę. Myli się ten, kto myśli, że przepisy na magiczne potrawy przygotowane przez złe wróżki mają paskudny smak, a ich główne składniki to nogi zdechłych żab, wąsy głodnych myszy, karaluchy albo skrzydła starych nietoperzy. Potrawy przyrządzane według magicznych przepisów wyglądają apetycznie i są przepyszne. Sęk w tym, że złe wróżki wiedzą, w jakich proporcjach połączyć z pozoru niegroźne składniki, by powstało danie, po którego zjedzeniu człowiek nabiera niezaspokojonego apetytu na zło. Wiedzą na przykład, ile trzeba zjeść truskawek, winogron i malin z sosem czekoladowym, lodami waniliowymi i bitą śmietaną, by taki deser zaszkodził.

Cenne sposoby na nic

Bywa też i tak, że nieświadoma niczego pani domu chce wywabić plamę na obrusie albo ulubionej bluzce córki. Sięga po poradnik, nie mając pojęcia, że nie jest to zwykła książka z pożytecznymi radami na każdą okoliczność. Bo skąd miałaby wiedzieć, że pomiędzy jej okładki zakradły się złe wróżki i powymieniały to i owo, sprawiając, że skorzystanie z jakiejś niewinnej z pozoru rady kończy się niewesoło. Dlatego należy zachować ostrożność! I to nie tylko wtedy, kiedy tuż po rozbiciu ulubionego niebieskiego wazonika z porcelany, kupionego dwa lata temu w słynnym uzdrowisku, natrafi w książce na poradę, jak idealnie skleić ulubiony niebieski wazonik z porcelany, kupiony dwa lata temu w słynnym uzdrowisku. Ostrożny człowiek zastanowi się – skąd ten zbieg okoliczności? Zupełnie jakby ktoś podrzucił mu tę radę… Człowiek nieostrożny ucieszy się jak głupi, sklei wazonik, po czym natychmiast zapomni, dlaczego był dla niego taki ważny. Zauważy nagle, że właściwie wazonik jest całkiem brzydki, i wraz ze wspomnieniami wyrzuci go do kosza. A ukryta w paprotce na parapecie zła wróżka – bo to oczywiście ona podrzuciła złą radę – będzie chichotać i zacierać ręce, przekonana, że jest wyjątkowo dowcipna.

Cudowny zapach plastikowej szafki

Złe wróżki zakradają się czasem do sklepów ogrodniczych, robią prawie niewidoczne dziurki w torebkach z nasionami traw i kwiatów i przez magiczną słomkę wdmuchują do środka trochę złego czaru, przygotowanego wcześniej w domu i przyniesionego w woreczku z pajęczyny. Trawa, która wyrasta z takich nasion, jest zielona i soczysta, ale każdy, kto rozłoży na niej koc, by odpocząć w senne, upalne sierpniowe popołudnie, zasypia i budzi się z okropnym bólem głowy. Kwiaty wyrastające z zaczarowanych nasion są kolorowe, piękne i pachnące, ale pszczoły omijają je z daleka, wyczuwają bowiem czar, który zła wróżka wdmuchnęła do torebki przez zaczarowaną słomkę. Dobrze wiedzą, że z pyłku takiego kwiatu miodu nie będzie. Oczywiście ludzie nie mają pojęcia, że z kwiatami coś jest nie tak. Ścinają więc je i ustawiają w wazonach na stołach, kredensach, bufetach i półkach. Każdy, kto je powąch, wciąga do nosa odrobinę zaczarowanego pyłku, który sprawia, że przestaje się czuć zapach zwyczajnych kwiatów. Ktoś taki staje się mniej wrażliwy na potrzeby i uczucia swoich najbliższych, a w dodatku zaczyna przejawiać dziwne upodobania, jeśli chodzi o wystrój wnętrz. Przestają mu się podobać drewno i naturalne materiały, które zastępuje plastikiem i syntetycznymi tkaninami. Co gorsza, zapach wnętrza plastikowej szafki uważa za najpiękniejszy na świecie.

Odczarowywanie łąki

Kiedy pszczoły zauważą zaczarowany kwiat, natychmiast dają o tym znać dobrym wróżkom – w zależności od powagi sytuacji do akcji wkracza jedna lub kilka dobrych wróżek. Zanim zaczną odczarowywać łąkę czy ogród, proszą wiatr, by strącił z kwiatów cały pyłek, a potem proszą o pomoc deszcz, żeby spłukał dokładnie to, co spadło z zaczarowanych kwiatów. A gdy nadchodzi pełnia Księżyca, rozpinają nad ogrodem sieć utkaną z dobrych czarów.

Wielu ogrodników, którzy znają się na magicznych właściwościach roślin zamieszkujących sady i ogrody, jest zgodnych, że te bardziej sprytne postanowiły bronić się przed złymi wróżkami wykorzystującymi je do niecnych celów. I tak: pokrzywy parzą, kaktusy i róże mają kolce, rosiczki nie tylko śmierdzą, ale także pożerają owady, natomiast muchomory są trujące – lecz nie po to, by uprzykrzyć życie ludziom, a złym wróżkom.

Książkowe muchy

Z książkami jest inaczej. Książki znacznie trudniej odczarować. Wiatr i deszcz niewiele tu pomogą. Niewiele pomogą też pszczoły, które gubią się w labiryntach utkanych z farby drukarskiej. Kiedy zarażona czarną magią książka pojawi się w okolicy, książkom na półkach w pałacach dobrych wróżek zaczynają drżeć kartki – wróżki dobrze wiedzą, co to znaczy. Dla pewności biorą do ręki ulubioną powieść i po przeczytaniu kilku stron stwierdzają, że się nie myliły: bohaterowie mają inne imiona, wszystko toczy się zupełnie inaczej i najczęściej zmierza do smutnego końca. Jeśli tak się dzieje, to jest jasne: książka złej wróżki na dobre zadomowiła się w pobliskiej bibliotece. A kiedy ni stąd, ni zowąd pod sufitem zaczyna wirować coraz więcej much, a z wyrazów w książkach wypadają sylaby – nie ma już najmniejszych wątpliwości. Sylaby z książek dobrych wróżek zamieniają się w muchy tylko wtedy, kiedy ulegają czarowi złych.

Białe motyle

Gdy wszystko wskazuje na to, że muchy opanowały pałac dobrej wróżki i za nic w świecie nie zamierzają się stamtąd wynieść, pozostaje poczekać na pełnię Księżyca. A kiedy nadejdzie, w bezchmurną noc trzeba wyjść na najwyższą wieżę pałacu i pozwolić, by księżycowe światło padło na zaczarowany pergamin nakryty muślinowym welonem. Przed nastaniem świtu każdy kawałek pergaminu zamieni się w bielinka. A gdy zaczarowana biała chmura motyli wzbije się w powietrze, ludzie, którym przez przypadek uda się zobaczyć to rzadkie zjawisko, będą mieli wrażenie, jakby nagle w pobliżu pękł ogromny balon wypełniony białymi płatkami kwiatów.

Pergaminowe bielinki bezbłędnie wyczuwają, gdzie ukryła się zaklęta książka, dopadają ją, wciskają się pomiędzy jej kartki i ścierają skrzydełkami złe czary.

Książki są wyjątkowo bezbronne. Kiedy już zostaną napisane, nie mają żadnych szans na obronę. Mogą tylko mieć nadzieję, że ktoś, kto je czyta, wykorzysta zawartą w nich wiedzę w dobrym celu. W trakcie powstawania książka może jeszcze coś zrobić, by autor jej nie ukończył. Na przykład tak nużyć piszącego, by co chwilę zasypiał, znudzony swoimi pomysłami. Albo żeby doszedł do przekonania, że przeżywa kryzys twórczy. A najlepiej, by w ogóle zwątpił w literaturę i zajął się czymś pożyteczniejszym, chociażby naprawianiem instalacji wodno-kanalizacyjnych.

Zaklęcia

Dobre zaklęcia to podstawa. Bez nich wróżka nie byłaby wróżką.

Czy istnieją jakieś uniwersalne zaklęcia w stylu „abrakadabra", znane i używane przez wszystkie wróżki?

Zaklęcia, które można poznać, bo zostały spisane w tajemniczych starych księgach?

Niestety – a może na szczęście – nie. Każda wróżka ma osobiste, niepowtarzalne zaklęcia.

Zdradzone zaklęcia

Zaklęć nie wolno zdradzać pod żadnym pozorem – wie o tym każda wróżka. Utrata ich magicznej mocy to dopiero początek kłopotów. Zdradzone zaklęcie zaczyna bowiem mścić się na wróżce, która je ujawniła. Uniezależnia się od niej i, by zadziałać, nie potrzebuje już, by je wypowiadano. Nie należy ani do wróżki, która je nieostrożnie wyjawiła, ani do tej, która je właśnie poznała. Unosi się tuż nad ziemią jak smużka dymu i śledzi jak cień wróżkę-zdrajczynię, czyli swą dawną panią. Nie odstępuje jej na krok i tylko czeka na okazję, by dać o sobie znać, dokuczyć, podłożyć nogę, popchnąć, szturchnąć, ochlapać wodą z kałuży. Kiedy wróżka zamierza użyć swej magicznej mocy, zdradzone zaklęcie wplata się w wypowiadane przez nią słowa magicznej formuły, zmieniając jego sens i działanie. Jeżeli wróżka miała w planie na przykład zamianę dyni w karocę, może się okazać, że dynia zamieniła się w kapelusz.

Czy jest jakiś sposób na zdradzone zaklęcia? Tak. Trzeba złapać je do odkurzacza z magicznym workiem, a potem za pomocą różdżki, bez słów, odczarować, czyli sprawić, by przestały istnieć.

Tajna broń

Każda wróżka ma w repertuarze zaklęcie, którego może użyć, gdyby doszło do sprzeczki lub bijatyki z inną wróżką. To zaklęcie to jednak ostateczność. Kiedy je wypowie, przeciwniczka zapada w sen i jak zahipnotyzowana robi i mówi wszystko, co jej nakaże. Może na przykład rozkazać jej zdradzić wszystkie swoje zaklęcia i na wiele lat albo na zawsze pozbawić ją czarodziejskiej mocy. Skutkiem ubocznym, bardzo dotkliwym, będzie wtedy snująca się za nieszczęśniczką gromadka zdradzonych zaklęć, uprzykrzająca jej życie na każdym kroku.

Zaklęcia i zęby

A co się dzieje, gdy magiczne zaklęcie pozna człowiek? Wielu ludzi często o tym marzy. Myślą, że mogliby wtedy robić, co dusza zapragnie: zamieniać suche liście w pieniądze albo spacerować po Księżycu. Nic z tego. Nie wystarczy znać zaklęcia, trzeba jeszcze umieć ich używać. Zaklęcia nie są poleceniami wydawanymi różnym przedmiotom, by zamieniły się w coś innego albo zniknęły. To coś w rodzaju skomplikowanego wzoru matematycznego. Kto nie zna wróżkowej matematyki, nigdy sobie z tym nie poradzi, a w dodatku może napytać sobie biedy.

Kilkaset lat temu grupa oszustów podstępem poznała kilka magicznych zaklęć. Rzecz jasna, na nic im się zdały, a jednemu z nich porządnie dały w kość. Gdy próbował wypowiedzieć magiczne zdanie, stracił wszystkie zęby – same mu się wyrwały i wyleciały z rozdziawionej gęby jak z armaty. Drugiemu zaś tak skręciło język, że koledzy pomylili go z korkociągiem. Do końca życia nie wypowiedział już ani jednego sensownego zdania – mylił się i przekręcał słowa tak, że nikt nie mógł go zrozumieć. Nikt nie wiedział, jak to odkręcić. Sposób znała tylko wróżka, której podkradł zaklęcia, ale nie użyła go.

Mistrzostwa w zaklinaniu

Co trzy lata i cztery miesiące dobre wróżki spotykają się, by urządzić mistrzostwa w zaklinaniu. Specjalna komisja, złożona z najmądrzejszych i najsilniejszych sióstr, ocenia szybkość działania czaru, precyzję i styl. Każda uczestniczka prezentuje program obowiązkowy oraz dowolny. Program obowiązkowy składa się z dwóch etapów: pierwszy obejmuje takie konkurencje, jak zamiana dyni w karetę czy żaby w księcia, a podczas drugiego ocenia się sposób, w jaki konkurentki zamieniają się w piękne księżniczki i bezdomne staruszki. W programie dowolnym zawodniczki prezentują to, co w swoim mniemaniu robią najlepiej.

Szybkość działania czaru mierzy się od momentu wypowiedzenia zaklęcia do chwili, kiedy czar zadziała. Oceniając precyzję, jury oczekuje, że wyczarowana przez wróżkę róża albo kareta będzie nie do odróżnienia od prawdziwej róży i karety, zdarzają się bowiem, zwłaszcza młodym wróżkom, straszne niedoróbki. Chcąc uzyskać dobrą ocenę za styl, należy unikać stosowania w zaklęciach brzydkich słów, mile widziane jest natomiast rymowanie. Ważne jest także, by czarowi towarzyszyło jak najmniej skutków ubocznych, które z reguły w bajkach się przemilcza. Mało kto wie o tym, że zamianie jednego przedmiotu w inny towarzyszy najczęściej paskudny zapach – ta z wróżek, która najbardziej go ograniczy, uzyskuje najwyższą notę.

Czy wróżki poznają zaklęcia metodą prób i błędów, czy też przychodzą na świat z gotowym zestawem? Dokładnie nie wiadomo, a obie teorie mają tyle samo zwolenników, co przeciwników. Pewne natomiast jest to, że każde zaklęcie można ulepszyć, czyli sprawić, by było silniejsze. Testowanie zaklęć wiąże się jednak z wieloma niebezpieczeństwami, a ponieważ wróżki nie chcą dewastować Ziemi, pracują tam, gdzie nie ma ludzi – na Księżycu, Neptunie, Saturnie i Jowiszu. Tam mogą do woli ciskać błyskawicami, powodować wybuchy wulkanów, zamieniać oceany w obłoki pary wodnej itd.

Magiczna różdżka

Złośliwi twierdzą, że jeżeli wróżka używa magicznej różdżki, to znaczy, że osoba lub rzecz,
którą trzeba zaczarować, wydaje się jej wyjątkowo obrzydliwa. Tak obrzydliwa, że nie sposób jej dotknąć
bez kija czy kijka. Wróżki nie zgadzają się z taką opinią, choć nie są zbyt skore do wyjaśnienia,
do czego właściwie służy różdżka. Przyznają, że od kiedy różdżkami zaczęli posługiwać się iluzjoniści,
ich znaczenie w magii zostało zupełnie wypaczone. Ale nie zamierzają z tego powodu rozdzierać szat,
nie zamierzają też organizować kampanii uświadamiającej w gazetach czy telewizji.

Jest, jak jest – mówią. – Może to i dobrze.

Osobista różdżka

Różdżka to przedmiot osobistego
użytku – jak szczoteczka do zębów.
Nie pożycza się jej innej wróżce, by nie napytać
sobie biedy, trzeba także pilnować, by nie wpadła
w jakieś niewróżkowe ręce. Nie dlatego, że ktoś
mógłby narozrabiać za jej pomocą, bo żeby
narozrabiać, trzeba znać zaklęcia gwarantu-
jące rozróbę. Chodzi po prostu o to, by ktoś,
kto nie jest wróżką, nie zrobił sobie krzywdy.

Różdżki drewniane

Najpopularniejsze różdżki wyrabia się z rosnących wysoko w górach strzelistych świerków. Żeby drzewo nadawało się na różdżkę, musi mieć co najmniej sto lat i co najmniej 50 metrów wysokości. Z jednego świerka można wykonać tylko jedną różdżkę o długości najwyżej 30 centymetrów. Każda jest inna, każdą zdobią symbole i napisy, których sens zna tylko właścicielka.

Różdżki piaskowe

Różdżki wytwarza się nie tylko z drewna. Spotyka się egzemplarze wycięte z kamienia, a także z lodu. Lodowe różdżki to prawdziwa rzadkość, ponieważ ich właścicielki cały czas muszą część swojej uwagi i mocy poświęcać na to, by narzędzia ich pracy nie zamieniły się w wodę. Złe wróżki używają czasem różdżek ze stopionego piasku – ich moc jest wyjątkowa, a gdyby wśród tworzących ją ziaren zła wróżka ukryła ziarenko nocy, byłaby prawie nie do pokonania. Gromadzenie materiału na piaskową różdżkę to bardzo czasochłonne zadanie, ponieważ każde ziarenko musi być przyniesione z innej pustyni, plaży, wydmy czy dna morza. Moc takiej różdżki jest największa w miejscach, z których pochodzą tworzące ją ziarenka.

Jeżeli do budowy mebla, na przykład stołu czy szafy, wykorzysta się magiczną różdżkę, wówczas ten stół czy szafa nie będą zwykłymi przedmiotami. Kto zna odpowiednie zaklęcie, może przekonać się o ich niezwykłych właściwościach. W taki właśnie sposób, korzystając z czterech drewnianych magicznych różdżek, zrobiono kiedyś stół, którego właściciel jednym słowem sprawiał, że pojawiały się na nim najwspanialsze smakołyki. A w zaczarowanej szafie wisiały najmodniejsze ubrania.

Różdżki wodne

Dobre wróżki lubią posługiwać się różdżkami wykonanymi z wody, koniecznie czystej – im czystsza woda, tym większa moc różdżki. Wróżka, która ma zamiar zaopatrzyć się w takie cacko, wyrusza na poszukiwanie źródła. Gdy do niego dotrze, siłą swych czarów wycina ze strumyka 30-centymetrową różdżkę, sprawiając, że tworząca ją woda przybiera pożądany kształt. A jeżeli uda się namówić złotą rybkę, by zamieszkała w takiej różdżce, jej moc wzrośnie tysiąckrotnie.

Wodne różdżki są dziś prawdziwą rzadkością, bo coraz trudniej znaleźć na tyle czyste źródło, by jego woda nadawała się do magicznych celów. Sprawę dodatkowo komplikuje fakt, że woda z każdego ze źródeł może być wykorzystana tylko raz, a wróżka zyskuje wtedy nadzwyczajną więź ze źródłem. Opiekuje się nim, a kiedy sama wpada w tarapaty, ono spieszy jej z pomocą, stając się orężem w walce o dobro albo balsamem na odniesione rany.

Złe wróżki zakradają się czasami do zamków swoich dobrych sióstr i zmieniają wodne różdżki w różdżki zrobione z rosołu. Kiedy nieświadoma niczego dobra wróżka dotyka kogoś różdżką, wypowiadając przy tym zaklęcie, na głowę delikwenta leją się litry zimnej zupy z makaronem. Złe wróżki uważają, że to świetny dowcip.

Superróżdżki

Bardzo cenne i bardzo skuteczne są różdżki z kości dinozaurów lub mamutów, których szkielety zachowały część magicznej atmosfery prehistorycznych czasów. Zła wróżka posługująca się takim instrumentem może być bardzo groźna, gdyż moc w nim drzemiąca pochodzi z odległych czasów, a poszukiwanie antyczaru może trwać wiele lat. Taka różdżka daje ponadto umiejętność przenoszenia się w czasie – ale tylko do dnia, w którym zwierzę, z którego kości jest zrobiona, rozstało się ze światem.

Szczęśliwą posiadaczką różdżki z kości dinozaura można stać się na kilka sposobów. Oto dwa stosowane najczęściej: włamanie do muzeum i kradzież szkieletu (koniecznie całego) prehistorycznego gada lub uważna obserwacja grup archeologów, geologów i innych naukowców zajmujących się wykopywaniem z ziemi przeróżnych pamiątek przeszłości. W tym drugim przypadku sztuka polega na tym, by w odpowiednim momencie wkroczyć do akcji i zwinąć ekipie naukowców szkielet sprzed nosa.

Kiedy wróżka stanie się już szczęśliwą posiadaczką różdżki z kości dinozaura, przenosi się w przeszłość. Jeśli jest dobra, w prehistorycznym świecie szuka najczystszego źródła, by z jego wody zrobić sobie drugą supermocną magiczną różdżkę. Jeśli jest zła, mozolnie zbiera ziarenka piasku, by je stopić i z płynnej piaskowej masy ulepić superróżdżkę.

83

Ulubione postacie przyjmowane przez wróżki

Repertuar wróżek, jeśli chodzi o postacie, w jakie się wcielają, kiedy okoliczności zmuszają je do kontaktowania się z ludźmi, jest, jak na wróżki, zawstydzająco skromny. Ale może wróżki stać na wiele więcej, lecz sposób, w jaki pojawiają się między ludźmi, dostosowały do naszych oczekiwań? Tak czy inaczej, wróżki nawiązują kontakt z ludźmi tylko na dwa sposoby: jako piękne, młode księżniczki albo ubogie, zaniedbane staruszki. I tyle. Odstępstwa od tej reguły są tak rzadkie, że można uznać je za żart albo wygłup. Wróżki do dziś śmieją się do upadłego, kiedy przypomną sobie historię grupy wróżkologów, którzy chcieli opracować katalog przyjmowanych przez nie postaci. Wróżka o imieniu Gajlardia, w środowisku znana jako Dzianwa, spłatała uczonym psikusa. Jakiego? Posłuchajcie.

Opowieść wróżki Gajlardii

Pewnego razu jeden z wróżkologów obiecał kolegom, że na doroczne spotkanie przygotuje niespodziankę. Wszyscy czekali z niecierpliwością, a gdy nadszedł czas, spotkali się w nocy na poddaszu pewnej starej kamienicy w Paryżu. Kiedy już się nagadali i naplotkowali, wróżkolog January Kabaczek poprosił o ciszę i przemówił:

– Przyjaciele! Mam dla was niespodziankę nad niespodziankami. Coś takiego jeszcze nigdy się nie wydarzyło. To naprawdę doniosła chwila, która…

– Streszczaj się, bo zwariujemy z ciekawości – wpadł mu w słowo Wincenty Synekdocha.

– No właśnie, daruj sobie te gadki – dodał Bogota Wężymord, znany jako Skorzonera.

– Do rzeczy! – zawołał Wiktor Wrotycz.

January Kabaczek, nieco urażony, jako że uwielbiał długie i uroczyste przemowy, ukłonił się i powiedział:

– Przyjaciele, pozwólcie, że wam przedstawię: wróżka Salsefia!

Na te słowa otwarły się drzwi szafy, a oczom wszystkich ukazała się zgrzybiała staruszka w łachmanach. Podpierała się koślawym kijem. Na głowie miała wyblakły spiczasty kapelusz, który stracił fason mniej więcej trzysta lat temu. Wyglądała dokładnie tak, jak wszyscy wyobrażali sobie wróżkę, która przybrała postać zgrzybiałej staruszki.

– Zacni wróżkolodzy – zaskrzeczała Salsefia – opowiem wam wiele ciekawych rzeczy o sobie i moich koleżankach, pokażę zadziwiające sztuczki, ale jestem strasznie głodna, bo nic nie jadłam od sześćdziesięciu czterech lat. Jeżeli chcecie posłuchać niesamowitych historii, kupcie mi coś do jedzenia.

Wróżkolodzy od razu się zgodzili, ale najpierw musieli jeszcze sprawić wróżce nowe ubranie, bo wstyd się z nią było pokazać nawet w piwnicy. A wróżka miała wyjątkowe zachcianki: w sklepie – najdroższe buty i sukienka, w restauracji – najwykwintniejsze dania. Kiedy kelner przyniósł rachunek, o mało nie pospadali z krzeseł. Musieli zebrać wszystkie pieniądze, jakie mieli, i jeszcze trochę pożyczyć. A gdy liczyli pieniądze, wróżka gdzieś zniknęła. Tylko szatniarz widział, jak w pośpiechu wsiadała do taksówki.

– Oszustka! – zdenerwował się Wincenty Synekdocha. – To przez ciebie!

– Idziemy na policję! – zawołał Wiktor Wrotycz.

– I co powiemy? Że daliśmy się nabrać staruszce podającej się za wróżkę?

I w ponurych nastrojach wrócili na poddasze.

Rok później na dorocznym spotkaniu, które odbywało się na poddaszu pewnej starej kamienicy w Rzymie, wróżkolog Bogota Wężymord, znany jako Skorzonera, obwieścił:

– Koledzy! Mam dla was niespodziankę nad niespodziankami, coś, o czymś wkrótce historycy będą pisać książkę za książką, coś…

– Nie gadaj tyle, bo pośniemy – wpadł mu w słowo January Kabaczek.

– Przynudzasz – zawołał Wincenty Synekdocha.

– Pokaż, co tam masz – dodał Wiktor Wrotycz.

Bogota Wężymord, urażony, że przerwano mu przemowę, nad którą pracował cały tydzień, ukłonił się i powiedział:

– Koledzy, przed wami wróżka Mulina!

Kiedy wymienił to imię, z szafy wyszła piękna, młoda dziewczyna. Miała różową suknię, błękitne pantofelki i biały spiczasty kapelusz z szerokim rondem, z którego spływał muślinowy welon. Wyglądała dokładnie tak, jak wszyscy wyobrażali sobie wróżkę, która przybrała postać młodej księżniczki.

– Przesławni wróżkolodzy – powiedziała Mulina srebrzystym, delikatnym głosem – zdradzę wam najskrytsze sekrety wróżek i pokażę, jak zamienić się w kamień albo w pałac, ale jestem potwornie głodna, bo nic nie jadłam od czterystu lat. Jeżeli chcecie posłuchać niesamowitych historii, kupcie mi coś do jedzenia.

Oczarowani wróżkolodzy (wszyscy zakochali się od pierwszego wejrzenia) zabrali wróżkę na zakupy:

w sklepie, gdy tylko spojrzała im w oczy, nie potrafili jej odmówić i płacili za wszystko bez względu na cenę, tak samo w restauracji.
Kiedy kelner przyniósł rachunek, zbledli, ale zaczęli liczyć pieniądze i dzwonić do znajomych z prośbą o pożyczkę. A gdy tak liczyli i dzwonili, wróżka zniknęła. Tylko szatniarz widział, jak szybko oddaliła się ulicą i zniknęła za rogiem.

– Kłamczucha! Nabrała nas! – zawołał January Kabaczek.

– To przez ciebie – dodał Wiktor Wrotycz.

– Chodźmy na policję! – powiedział Wincenty Synekdocha.

– I co powiemy, że zawróciła nam w głowie piękna dziewczyna, podająca się za wróżkę?

I w ponurych nastrojach wrócili na poddasze.

Rok później wróżkolodzy spotkali się na dorocznym spotkaniu na poddaszu pewnej starej kamienicy w Krakowie. Kiedy nagadali się i powymieniali nowinami, Wincenty Synekdocha wstał i powiedział:

– Panowie, chciałbym zakomunikować, że nasza grupa wróżkologiczna powiększyła się o nowego badacza. Pozwólcie, że wam przedstawię: Koriander z Olkusza.

Wincenty Synekdocha wskazał ręką na siedzącego w ciemnym kącie młodzieńca, którego nikt do tej pory nie zauważył. Młodzieniec wstał, ukłonił się i z tajemniczym uśmiechem powiedział:

– To dla mnie zaszczyt znaleźć się w gronie tak znamienitych badaczy wróżek. Zapewne wiele się od was nauczę o zwyczajach tych tajemniczych istot. Czy pozwolicie, że w ten uroczysty dla mnie dzień zaproszę was na obiad do najlepszej restauracji w mieście?

Oczywiście nikt nie miał nic przeciwko temu, a uczta trwała do białego rana. W końcu zmęczeni biesiadnicy zasnęli, a kiedy obudzili się w pokoju na poddaszu starej kamienicy, z której wymaszerowali na przyjęcie, ze zdziwieniem spostrzegli, że nie są już, jak wczoraj wieczorem, panami, lecz paniami. Czy powodem tej przemiany było coś domieszanego do którejś z potraw podanych na obiad w restauracji? Czy może jakiś czar zadziałał, gdy zasnęli? I kto ich zaczarował? Tak czy siak, kiedy otworzyli oczy, byli kobietami. Gdy tak zawzięcie o tym dyskutowali, otwarły się drzwi i do pokoju wszedł Koriander z Olkusza. Gestem dłoni uciszył rozgorączkowanych wróżkologów i powiedział:

– Nie jestem ani miłośnikiem wróżkologii Koriandrem z Olkusza, ani wróżką Salsefią czy Muliną. A przy okazji, skąd wam przyszło do głowy, że wróżki tak idiotycznie się nazywają? Owszem, jestem wróżką, ale nie zdradzę wam swego imienia, bo wzywalibyście mnie z byle powodu i nie miałabym chwili spokoju. To ja złożyłam wam trzy wizyty. Wybaczcie mi dwie pierwsze, ale świetnie się bawiłam. Teraz zresztą też świetnie się bawię. Tak naprawdę, to chyba nawet nie wiem, kiedy bawiłam się lepiej.

I zaczęła się śmiać. A gdy dobra wróżka się śmieje, przestaje padać deszcz, cichnie wiatr, zakwitają paprocie, podskakują filiżanki w kredensie i w ogóle robi się weselej.

Patrząc na ponure miny wróżkologów siedzących pod ścianą pokoju na strychu w Krakowie, wróżka Gajlardia powiedziała:

– Panowie!

Przerwała, zastanowiła się i zaczęła jeszcze raz:

– Drogie panie, ponieważ naprzykrzacie się nam ponad miarę, pozostaniecie w tej postaci do czasu, aż rozśmieszycie dziesięć osób, ale nie razem, tylko każda z was z osobna. Żeby było łatwiej, dam wam moc wywoływania uśmiechu. Ale uwaga! Ten dar tylko wzmacnia wasze naturalne poczucie humoru. Kto jest wesoły, będzie jeszcze weselszy, kto jest śmieszny, będzie jeszcze śmieszniejszy.

To powiedziawszy, zniknęła. A wróżkolodzy, chcąc nie chcąc, ruszyli do miasta, aby zapolować na śmiech. Januaremu Kabaczkowi tak się to spodobało, że porzucił dotychczasowe zajęcia i zatrudnił się jako klaun. Wincenty Synekdocha i Wiktor Wrotycz uporali się z zadaniem do południa. Najgorzej szło Bogocie Wężymordowi, znanemu jako Skorzonera. Dwoił się i troił, a przechodnie śmiali się z niego, a nie z jego dowcipów. Dopiero kiedy wieczorem zaczął w geście desperacji czytać na głos swe prace wróżkologiczne, wszyscy zaśmiewali się do łez. Nawet policjanci, którzy przyszli sprawdzić, co się dzieje.

Wróżki i zwierzęta

Wróżki potrafią zamienić się we wszystko, w co im się tylko podoba, ale nie zawsze mają na to czas lub ochotę.
W takich sytuacjach często pomagają im zwierzęta: mrówki świetnie się sprawdzają, kiedy trzeba gdzieś wejść przez
szparę pod drzwiami, ptaki idealnie nadają się do przenoszenia wiadomości, a niedźwiedzie – jeśli trzeba kogoś
nastraszyć. Poza tym wróżki, jak każdy, mają swoje sympatie i antypatie – niektóre zwierzęta lubią, innych nie.
Trudno oczekiwać, że ktoś, kto nie lubi psów albo kotów, z radością będzie się w nie zamieniał.
Wówczas lepiej dogadać się z jakimś psem, kotem czy ptakiem, by był tak uprzejmy i wyświadczył wróżce drobną
przysługę. Zwierzęta na ogół godzą się na to bez zbytnich ceregieli.

Nóż i widelec

Od czasu do czasu złe wróżki zamieniają ludzi w zwierzęta. Czasami robią to, bo ktoś im podpadł, a czasami dlatego, że są wredne. Lista zwierząt, w jakie może zamienić nieszczęśnika bądź nieszczęśnicę zła wróżka jest długa, a wybór zależy tylko od wróżkowego widzimisię. Do grupy szczególnego ryzyka należą przede wszystkim księżniczki i książęta. Przemienianie w konia zwykłego szewca, pielęgniarki czy urzędnika nie sprawia złym wróżkom specjalnej radości. Czasami zdarzy się, że zła wróżka zamieni księcia w księżniczkę albo księżniczkę w księcia. Niby nic, a zamieszania tyle, jakby zamieniła nóż w widelec, a widelec w nóż.

Wróżkom zawdzięczamy pojawienie się na świecie misia pandy. Wyczarowały go, kiedy usiłowały rozbawić pewną smutną księżniczkę. Część wróżek twierdzi także, że plamy na żyrafach i pasy na zebrach to ich sprawka, ale nie ma co do tego pewności.

Mysz i pingwin

Kiedy złe wróżki się nudzą, zamieniają jedne zwierzęta w inne, na przykład mysz w pingwina, kota w rybę albo węża w dżdżownicę. Zdarza się także, że zamieniają zwierzęta w ludzi! Wtedy dopiero robi się zamieszanie, a skutki są opłakane. Zwierzę, które nie ma obycia w ludzkim świecie, zachowuje się agresywnie, a jeśli ma choć trochę władzy nad innymi, dodatkowo odgrywa się za wszystkie nieszczęścia, jakich jego bracia i siostry doznali od ludzi.

Księżniczka Ziarnko Grochu

Zwierzęta często pomagają dobrym wróżkom w realizacji ich planów, ale nigdy nie wiadomo, co może im przyjść do głowy. Świadczy o tym pechowa historia, która przytrafiła się wróżce Gajlardii. Otóż rzeczona Gajlardia, zwana przez znajomych Dzianwą, ratowała kiedyś z opresji księżniczkę więzioną przez złego czarownika w jego bazaltowym zamczysku wzniesionym na skraju Urwiska Ciemnej Nocy w Górach Lodowych. Aby dotrzeć na miejsce, wzbiła się w powietrze i, ukryta w obłoku, podpłynęła do wieży. Znalazła niedomknięte okno i przybrawszy postać nocnej mgły, wpełzła przez wąską szparę do środka. Lokaj czarownika, który spał w komnacie, otworzył oczy, przebudzony nagłym chłodem nocnej mgły, więc wróżka błyskawicznie zwinęła się w kłębek pod fotelem. Zdziwiony lokaj ospale zwlókł się z łóżka, rozglądając się wokół. Właśnie przechodził obok fotela, kiedy wróżka – aby przypadkiem na nią nie nadepnął (troszeczkę mgły wystawało bowiem spod mebla) – zamieniła się w zapach świeżo parzonej kawy dolatujący z zamkowej kuchni. Lokaj z błogością wciągnął nosem aromat, domknął okno i uspokojony wskoczył jeszcze na kwadrans pod pierzynę.

A sprytna Dzianwa wydostała się na korytarz przez dziurkę od klucza, przybrała swą normalną postać i delikatnie, na palcach, podkradła się pod drzwi komnaty, w której czarownik więził księżniczkę. Drzwi nie miały zamka ani klamki – otwierało się je zaklęciem, które znał tylko właściciel zamku. Wróżka zamieniła się więc w mrówkę, przeszła przez szparę pod drzwiami, na powrót stała się sobą i stanęła przy posłaniu księżniczki. Zbudziła ją, wzięła na ręce, zamieniła w ziarnko grochu, które włożyła do dziobka wróbla siedzącego na parapecie za kratą w oknie.

– Zanieś to ziarenko do mojej karety – powiedziała do wróbla. – Ja muszę tu jeszcze na chwilkę zostać, żeby rozprawić się z czarownikiem.

Wróbel pofrunął czym prędzej, ale jak pech, to pech: do karety nie dotarł. W pewnej chwili do otwartego dziobka, w którym trzymał księżniczkę zamienioną w ziarenko grochu, wpadła mucha. Wróbel zakrztusił się, a potem połknął muchę i upuścił ziarenko, które spadło na łąkę. Znalazła je mysz i zaczęła się nim bawić. Niebawem w pobliżu pojawił się kot. Mysz chwyciła w łapki groch i zaczęła uciekać, ale szybko go zgubiła. Teraz ziarenkiem bawił się kot – do czasu, gdy w pobliżu pojawił się pies. Kot złapał je i wziął łapy za pas. Ale i on zgubił ziarenko. Teraz bawił się nim pies, ale kiedy w pobliżu pojawił się wilk, pies rzucił się do ucieczki i też zgubił groch. Teraz grochem bawił się wilk. Pobiegł z nim do lasu, ale kiedy na drodze zobaczył myśliwego ze strzelbą, upuścił ziarenko i zaczął wiać, gdzie pieprz rośnie. Kiedy wilk uciekł, zza drzew wyjechał wóz załadowany workami z grochem. Woźnica Antosiek dostrzegł na drodze zgubione przez wilka ziarenko, zdziwił się, ale wstrzymał konie i zszedł z wozu, by podnieść je z gościńca i wrzucić na wóz. I odjechał.

A jechał do zamku księcia Pantalona, gdzie trwał właśnie organizowany co roku wielki turniej rycerski. Na zakończenie turnieju kucharze księcia przygotowywali zawsze wielki kocioł grochówki – groch na tegoroczną zupę był na wozie Antośka. Była tam także księżniczka.

Wróżka, wróbel i wszystkie zamieszane w ten nieszczęsny łańcuch zdarzeń zwierzęta zbladły, kiedy dowiedziały się, jaki los czeka księżniczkę – opowiedziała im o tym sroka plotkarka, która zamiast klejnotów wykradała ludziom sekrety.

Natychmiast zarządzono naradę. Ustalono, że cały groch z zamku muszą wynieść chomiki i przetransportować do pałacu wróżki. Ale jak odnaleźć w kilkunastu workach grochu zaczarowane ziarenko? Propozycje były różne: wrzucić wszystkie do wody? To, które nie wypuści kiełków, będzie księżniczką. Pomysł jednak odrzucono – księżniczka mogłaby się utopić. Więc może podkładać po kolei co noc po jednym ziarenku pod materac? To, które nie będzie uwierać, będzie księżniczką. Z tego pomysłu też zrezygnowano – to trwałoby przecież strasznie długo. I niewykluczone, że kiedy wreszcie odnaleziono by księżniczkę, ta byłaby już zgarbioną staruszką.

Koniec końców wymyślono, że groch trzeba rozsypać na podłodze największej komnaty w pałacu wróżki. Potem zaprosi się najtęższych leśnych muzykantów – świerszcze, żaby i ptaki – którzy połączą siły i głosy, by zagrać najskoczniejszą melodię na świecie.

– Miejmy nadzieję – powiedziała wróżka – że jedno ziarenko zacznie podskakiwać do rytmu. I to będzie księżniczka.

Jak postanowili, tak zrobili. Na szczęście wszystko poszło zgodnie z planem, a uratowana księżniczka do białego rana siedziała wśród swoich wybawców i słuchała ich opowieści.

Kontakty z ludźmi

Dary wróżek

Prezenty wróżek są jak cylinder iluzjonisty – zawsze mają jakieś drugie dno. Zazwyczaj bywa tak, że zając, wyciągnięty przez wróżkę z wysokiego czarnego kapelusza z zupełnie innej bajki rodem, okazuje się zaczarowanym księciem albo przynajmniej… zaczarowanym zającem.

Nagrody rzeczowe

Grunt to dobry pomysł na prezent, a trzeba przyznać, że pod tym względem na wróżki (oczywiście te dobre) nie można narzekać, o czym przekonują bajki, baśnie i życie. Wśród materialnych darów przekazywanych ludziom są środki transportu – te tradycyjne, jak choćby zaczarowana dorożka, kareta, która kiedyś rosła sobie w ogródku jako dynia, i te ekstrawaganckie, jak bryczka z barankiem w roli kucyka, galopującym z gracją między chmurami, jakby to były zarośla na łące. Praktycznymi prezentami, o których swego czasu wiele się mówiło, były kosmetyki, suknia, pantofelki i biżuteria podarowane Kopciuszkowi, a materiał na najbardziej błękitną sukienkę świata, w której chodziła Agnieszka Skrawek Nieba, przeszedł już do legendy. Złe wróżki nie zostają w tyle, o czym opowiada na przykład Natalia Gałczyńska w bajce *Naneta i lew* – zamieniony w lwa królewicz dostał imponujący pałac z zachwycającym ogrodem. Wszystkie te wspaniałości okazały się jednak więzieniem, podobnie jak ciało lwa, w które zaklęto królewicza. Mało kto dowiedziałby się o tym, gdyby pewien złotnik, ojciec Nanety, nie odkrył tego przypadkiem podczas wędrówki w poszukiwaniu najpiękniejszej róży świata.

Bilety w przyszłość

Znacznie częściej wróżki rezygnują z materialnych prezentów i przekazują ludziom dary z wyższej półki wróżkowego dobrodziejstwa. Ludzie na ogół protestują, bo woleliby dostać do ręki pieniądze zamiast mądrości, ale z wróżkami nie ma sensu negocjować – jeśli coś postanowiły, nie ma rady. Mądrość męczy – próbują przekonywać ludzie. A wróżki na to: A pieniądze rozleniwiają.

Kiedy królewskiej parze rodzi się wyjątkowo brzydki syn, wróżka nie próbuje nawet poprawiać jego urody, ale obiecuje, że będzie mądry i roztropny. Widząc, jak rodzice kręcą nosami, dodaje, że jeśli

w przyszłości królewicz kogoś pokocha, dar mądrości i roztropności przypadnie w udziale również tej osobie. Ale i to nie wzbudza entuzjazmu rodziców. Spotykając się z takim brakiem zrozumienia, wróżka idzie w swoją stronę, zostawiając sprawy swojemu biegowi. I udaje się do sąsiedniego królestwa, gdzie świat ujrzały właśnie dwie królewskie córki: jedna brzydka jak listopadowa noc, druga piękna jak majowy poranek. Brzydkiej wróżka daje mądrość, a pięknej obiecuje, że co prawda będzie największym matołkiem w królestwie, ale jeśli kogoś pokocha, to za sprawą tego uczucia jej wybranek stanie się równie piękny jak ona. Po czym udaje się do swoich spraw. Po pewnym czasie zmęczony swoją brzydotą królewicz i rozgoryczona własną głupotą królewna spotykają się, niby to przypadkiem, zakochują się w sobie i za sprawą wróżkowych darów stają się oboje olśniewająco piękni i nadzwyczaj mądrzy.

Osiem wróżek

Zazwyczaj niemowlakiem interesuje się jedna wróżka, bywa jednak i tak, że pojawia się ich więcej. Rodzice Śpiącej Królewny przejawiali sporą skłonność do przesady, na chrzciny zaprosili bowiem nie jedną, ale siedem dobrych wróżek. Ich córka dostała w prezencie wdzięk, czar, spryt, urodę, mądrość, dobroć i poczucie humoru – co za zestaw! Ale – o zgrozo! – na uroczystości pojawiła się nieproszona zła wróżka i przepowiedziała śmierć dziewczynki za piętnaście lat. Czar to czar – na ratunek natychmiast pospieszyła jedna z dobrych wróżek, zamieniając śmierć na stuletni sen. Dla rodziców, jak się łatwo domyślić, nie było to specjalnym pocieszeniem.

Wróżki i ludzie

W dawnych czasach wróżki chętnie mieszały się w ludzkie sprawy. Niektórzy wróżkolodzy twierdzą nawet,
że miały znacznie mniej szacunku dla ludzi i ich małych spraw. Teraz jest inaczej.
Dziś nasze małe sprawy stały się znacznie cenniejsze niż kiedyś –
wróżka musi mieć ważny powód, by wtrącić się w czyjeś życie.

Wróżki dobrej zabawy

Wróżkolodzy twierdzą, że zainteresowanie niektórych wróżek losami ludzi bywa dość przypadkowe i niesystematyczne. Utrzymują, że część z nich lubi nazywać się matkami chrzestnymi, ale głównie dlatego, że podoba im się to określenie. I na dowód przypominają historię pewnej wróżki, znanej jako matka chrzestna Kopciuszka.

Ta wróżka – mówią znawcy – przypomniała sobie o istnieniu swojej chrześniaczki dopiero wtedy, gdy na horyzoncie pojawiła się perspektywa balu na zamku. O tak, uwielbiała bale, przyjęcia i tańce! Kiedy trzeba było pomóc Kopciuszkowi w codziennej mozolnej pracy, wróżki nie było.

Ale inni wróżkolodzy bronią opiekunki Kopciuszka:

– Przesadzacie – mówią do swoich kolegów po fachu. – Nie bierzecie pod uwagę tego, że matka chrzestna Kopciuszka była wróżką dobrej zabawy. Praca nie była jej specjalnością.

Tak czy siak, słynna bajkowa sierotka przyjęła z wdzięcznością pomoc wróżki, a nawet polubiła podwójne życie, jakie zaczęła prowadzić od pamiętnego wieczoru, w którym matka chrzestna pomogła jej po raz pierwszy. W dzień była skromnym i cichym kocmołuchem, za to w nocy zamieniała się w gwiazdę salonów. Bawiąca się na balach śmietanka towarzyska nie miała pojęcia, co Kopciuszek porabia za dnia, z kolei zawistna macocha nie miała bladego pojęcia, co jej pasierbica porabia wieczorami.

Wróżka detektyw

Na marginesie można dodać, że wróżka opisana w baśni *Kopciuszek* przyczyniła się do rozwoju kryminalistyki. W tamtych czasach policjantom bardzo doskwierał brak dobrej metody, dzięki której mogliby jednoznacznie stwierdzić, że ktoś rzeczywiście jest tym, za kogo się podaje. Nikt nie miał jeszcze wtedy pojęcia, że każdy człowiek ma inne linie papilarne na opuszkach palców i że te linie są jak podpis stwierdzający, że każdy z nas jest tym, kim jest.

Aby ułatwić pracę policjantom i utrudnić życie łotrzykom, matka chrzestna Kopciuszka opracowała i wdrożyła w życie metodę polegającą na przymierzaniu butów. Kiedy w ręce policjantów wpadł rabuś albo inny gałgan, gagatek czy łapserdak, który oczywiście udawał niewiniątko i łgał w żywe oczy, że jest kimś innym, musiał przymierzyć swój but znajdujący się w policyjnej bazie butów. But pasował jak ulał i sprawa była jasna. Pierwszą osobą, która z powodzeniem zastosowała tę metodę w praktyce, był poszukujący Kopciuszka książę, dysponujący tylko jednym pantofelkiem pięknej dziewczyny, w której się zakochał i którą zamierzał poślubić.

Wróżki weselne

Oprócz balów wróżki bardzo lubią śluby i wesela. Kiedy tylko mogą, tak kierują losami ludzi, by się poznali i pokochali. Piękny przykład działania wróżki weselnej opisano w bajce *Dary zwierzątek* – matka chrzestna radzi swojej chrześniaczce Kasi (jedynemu dziecku grubego kupca Błażeja), która nie mogła zdecydować się, którego kawalera poślubić, by pocałowała w czoło napotkanego w lesie daniela. I daniel zmienia się w cudnego chłopca. Zgodnie z oczekiwaniami Kasia zakochuje się w przemienionym młodzieńcu, a pokonawszy z pomocą wróżki wiele przeciwności losu, wychodzi za niego za mąż. I żyją długo i szczęśliwie.

Wróżki rodzinne

Specjalną grupę wróżek stanowią opiekunki rodzin, zatroskane przede wszystkim o to, by rodzice i dzieci rozumieli się i kochali. W bajce *Ptak, który mówił prawdę* dobra wróżka pomaga królewiczowi i królewnie niezdającym sobie sprawy z tego, że są królewskimi dziećmi. Dzięki niej udaje im się spełnić wiele dziwacznych żądań ich ojca, nieświadomego, kim są nieszczęśnicy, których tak bezlitośnie traktuje. Na szczęście magiczne zabiegi sprawiają, że wszystko się dobrze kończy.

Wróżka w opałach

Rzadko, bo rzadko, ale zdarza się i tak, że zwykły śmiertelnik może oddać wróżce przysługę – i nie chodzi tu wcale o wykonanie jakiejś czynności zleconej przez wróżkę, ale o coś znacznie poważniejszego. Sebastian, bohater bajki *Księżniczka zza morza*, zabija potwora i uwalnia więzioną przez niego Wróżkę Gór, która z wdzięczności obiecuje spieszyć mu z pomocą w potrzebie i nazywa się jego siostrą. I nie pozostaje gołosłowna, pomaga bowiem swemu nowemu ludzkiemu bratu w spełnianiu życzeń pewnego głupiego władcy, starającego się uprzykrzyć życie Sebastianowi.

Dzieje wróżek oraz ich relacji z ludźmi nie zawsze obfitowały w momenty piękne, wzruszające i wzniosłe. Nie brakowało ich, to jasne, ale były i takie lata, których ani ludzie, ani wróżki nie wspominają zbyt dobrze.

Wróżki pamiętają o wszystkim na zawsze. Ludzie wręcz przeciwnie – próbują zapomnieć o wielu wydarzeniach, zwłaszcza o tych niezbyt przyjemnych. I często udaje się im odsunąć je w zapomnienie – z wyjątkiem tych, które zostały spisane i opublikowane. Oraz tych, które zechcą im przypomnieć wróżki.

Prawdziwe bajki

Bywały czasy, kiedy między wróżkami a ludźmi wszystko układało się wspaniale. Bywały jednak i takie, gdy nic nie szło jak należy. Ostatni trudny okres we wzajemnych wróżkowo-ludzkich stosunkach przypadł na lata 1640-1890. Wtedy właśnie powstało wiele bajek i baśni, które – pomimo starań wielu wróżek – przetrwały do dziś i wciąż cieszą się popularnością. Zwłaszcza wśród dzieci – i to chyba

Kiedy wróżka narozrabia, Wysoka Rada Wróżek i Elfów ma prawo napomnieć ją albo ukarać. Za drobniejsze przewinienia wróżka, która coś przeskrobała, może dostać na przykład zakaz poruszania się swoją karetą połączony z jednoczesnym nakazem podróżowania autobusami komunikacji miejskiej. Recydywistki muszą liczyć się z tym, że zostaną oddelegowane do znienawidzonej przez wróżki pracy – ukarana delikwentka musi zamieszkać na jakiś czas w bucie. But jest mały i niewygodny, wróżka wierci się i rozpycha, a efekt jest taki, że człowiek jest przekonany, że kupił niewygodne buty, które uwierają.

można uznać za jedyny sukces, aczkolwiek sukces ten ma i drugą stronę: jego ceną było to, że wróżki musiały usunąć się w cień. I wciąż uparcie udają, że ich nie ma i nigdy nie było. Ale, jak uczy historia, ten stan nie będzie trwał wiecznie. Pewnego dnia wróżki wyjdą znowu z ukrycia i zamieszkają między ludźmi.

Ciekawi was, co też takiego działo się w latach 1640-1890? Co spowodowało, że wróżki od ponad stu lat schodzą ludziom z oczu? Poczytajcie bajki. To nie przypadek, że w tamtych czasach udało się opublikować tyle historii o wróżkach.

Na bakier z prawem

W tamtych czasach wiele wróżek zachowywało się nie najlepiej, bardzo źle lub wprost fatalnie. Do dziś nie wiadomo, co było tego przyczyną. Zmówiły się? Zjadły coś? A może to wszystko przez plamy na Słońcu? Nie dowiemy się pewnie nigdy.

Domysłów jest więcej niż faktów. A fakty są takie: działała wówczas Wysoka Rada Wróżek i Elfów, która po zbadaniu przypadków opisanych w bajkach zaleciła swoim braciom i siostrom wycofanie się z życia publicznego na jakieś pięćset trzydzieści lat. Radzie nie spodobało się zwłaszcza to, że wróżki zbyt często decydowały o ludzkim losie, obdarzały kogoś niezasłużonymi przywilejami albo upokarzały zbyt surowymi karami. Jednym słowem, Rada uznała, że część wróżek wkroczyła na drogę przestępstwa.

Opowieść pana Perraulta

W dawnych czasach, kiedy ludzi było mniej, ale za to więcej czasu, wróżki z własnej woli mieszały się do nie swoich spraw. Najczęściej udawały sterane życiem starowinki, sądząc najwyraźniej, że wyzwalają w przypadkowych przechodniach najwięcej emocji. Kto okazał się dla wróżki miły, był przez nią nagradzany, a niemiłych spotykała kara. Kiedy pewien Francuz, Charles Perrault, opublikował reportaż pod tytułem *Wróżki*, dziś uznawany za bajkę, rozpętała się burza. Wysoka Rada Wróżek i Elfów uznała postępowanie opisanych sióstr za nadużycie i przykład przekroczenia kompetencji – odebrano im licencję na trzysta lat. Wróżkę, która nagrodziła dobrze zachowującą się dziewczynę, skierowano na przymusową powtórkę kursu podstaw czarowania, uznano bowiem, że jest niedouczona. Co spowodowało taką reakcję Rady? Nagroda, jaką wymyśliła wróżka dla dobrej dziewczyny. A były to diamenty wypadające z ust nagrodzonej wraz z każdym słowem. To, co w zamyśle wróżki miało uszczęśliwić dziewczynę, doprowadziło ją na skraj rozpaczy. Wypadające wciąż z ust diamenty i róże powodowały uszkodzenia zębów i dziąseł. Ostatecznie dziewczyna przestała się odzywać do kogokolwiek, zamknęła się w sobie i wcale nie wyszła za mąż za pięknego księcia, tylko dokonała żywota w biedzie i samotności. Takie oto jest prawdziwe zakończenie reportażu (bajki) *Wróżki*, zmienione potem cichcem przez agentów Rady na optymistyczne.

Od jakiegoś czasu w księgarniach pojawia się coraz więcej książek poświęconych wróżkom. Oznaczać to może tylko jedno – zbliża się czas, w którym wróżki wyjdą z ukrycia i ponownie, jak kilkaset lat temu, będzie je można spotkać w lesie albo na drodze. Zapytane o to, czy tak jest w istocie, wróżki niczego nie potwierdzają, ale także niczemu nie zaprzeczają. Zdaniem niektórych wróżkologów, część nowych książek powstaje na wyraźne zamówienie wróżek, które wynajmują i opłacają lub w jakiś inny sposób nagradzają autorów.

Upadek królestwa

Pół biedy, gdy konsekwencje wtrącania się wróżek w ludzkie sprawy dotyczą jednej lub kilku osób. Bywa jednak i tak, że skutki ich działań odczuwa cały kraj. Przykład? Proszę bardzo: następstwem czaru rzuconego przez złą wróżkę na Śpiącą Królewnę był upadek przemysłu włókienniczego w państwie, którym rządził ojciec nieszczęsnego dziecka. Zła wróżka zapowiedziała, że królewna umrze, skaleczywszy się igłą wrzeciona, więc król nakazał, by w całym kraju zlikwidowano wszystkie kołowrotki, po czym upadły warsztaty tkackie, którym nie dostarczano przędzy do tkania materiałów. Łatwo się domyślić, że w związku z tym musieli zbankrutować krawcy, ponieważ nie mieli z czego szyć. Bajka o tym milczy, ale prząśniczki, tkacze i krawcy masowo opuszczali królestwo lub też zmieniali pracę – szyli buty, paśli owce albo podkuwali konie.

To jednak nie koniec. Kiedy klątwa rzucona przez złą wróżkę na Śpiącą Królewnę się spełniła, na pomoc przybyła jedna z dobrych wróżek biorących udział w owych pamiętnych, pełnych łez chrzcinach sprzed piętnastu lat, i – widząc rozpacz królewskiej pary rodziców – w dobrej wierze zrobiła to, co podpowiedziało jej serce: aby nie cierpieli, opłakując pogrążoną w stuletnim śnie córkę, uśpiła wszystkich w zamku. Jaki był efekt tego, że wrażliwa dobra wróżka zaczarowała cały dwór? Upadek przemysłu włókienniczego to przy tym pestka. Skoro zasnął król zarządzający państwem i wszyscy ministrowie, królestwo pogrążyło się w chaosie i upadło. Tak złość jednej złej wróżki może doprowadzić do upadku wielkich królestw.

Kto decyduje się na interwencję wróżek, musi liczyć się z konsekwencjami o skali przekraczającej ludzkie pojęcie.

Niezadowolenie Wysokiej Rady Wróżek i Elfów wzbudził także fakt, że dzięki czarowi usypiającemu na sto lat królewska rodzina i cały dwór przenieśli się w czasie o wiek, a przecież wiadomo, że ludziom nie wolno podróżować w czasie! Jedna z podstawowych zasad obowiązujących wróżki zabrania przenoszenia ludzi w przeszłość lub przyszłość.

Wróżki prywatnie

Moda wróżek

Wróżki bardzo lubią się stroić. Wybierać materiały, przeglądać wróżkowe katalogi mody, spędzać długie godziny u krawcowych (szyciem ich garderoby zajmują się osy i ważki). Wystarczyłoby wprawdzie jedno machnięcie różdżką, by wyczarować sobie dowolną kreację, ale przecież wtedy nie byłoby przyjemności…

Kreacje wróżek

Dobre wróżki na ogół zachwycają pachnącymi sukniami z kwiatów i tęczy, ale – choć przykro to mówić – wiele spośród nich słynie z okropnego gustu. Kolory dobierają wręcz fatalnie – ich ulubiony zestaw to jaskrawy róż i wściekły pomarańcz. Do jednej sukni doszywają nieraz 187 ozdób: falbanek, koronek, koralików, perełek, kawałków sztucznego futerka, piórek we wszystkich możliwych barwach, frędzli, pomponów, cekinów i innych dodatków.

Co innego złe wróżki. Te, jeśli tylko zechcą, potrafią wyglądać naprawdę przepięknie. Ubierają się w eleganckie, zwiewne suknie utkane z letniej nocy, a na ramiona zarzucają leciutkie szale ze srebrnej mgły. Do tego z niesłychanym wyczuciem dobierają biżuterię: naszyjnik z kropli rosy, diadem z okruchów gwiazd czy broszkę splecioną z księżycowych promieni. Wszystkie stworzenia patrzą na nie z zachwytem, ale złe wróżki tego nienawidzą. Dlatego bardzo rzadko się stroją.

Stroje służbowe

Raz na sześćdziesiąt lat wróżki spotykają się na walnym zebraniu, by omówić nowe trendy w nadchodzącym sezonie (sezon wróżek jest o wiele dłuższy niż w świecie ludzi). Zebranie trwa trzy dni i kończy się wielkim pokazem mody, ale najważniejszy jest dzień drugi. Wróżki zbierają się wtedy w małych grupach, by przedyskutować zmiany w strojach służbowych. Ustalają wówczas, w jakiej sukni należy się pojawiać małym dziewczynkom, a w jakiej ich mamom. Wtedy również zastanawiają się, w co mają być ubrane wróżki przybierające postać księżniczek, a w co te, którym przyszło udawać zabłąkane sieroty. W ostatnim sezonie

uradziły, że wróżka-zabłąkana sierota powinna mieć szesnaście dziur w rajstopach, zniszczone brązowe trzewiki i brzydką, rozciągniętą szarą sukienkę z gryzącej wełny, sięgającą co najmniej do kolan. Jeśli więc spotkacie dziewczynkę w takim właśnie stroju, możecie być pewni, że nie jest to zwykła dziewczynka.

Zdarza się, że planując wygląd strojów służbowych, wróżki pomylą to i owo, bo choć wiedzą o nas naprawdę dużo, niektóre szczegóły ludzkiej mody im umykają, gdyż ich zwyczajnie nie rozumieją. Nie potrafią na przykład odróżnić helmu motocyklisty od melonika albo jednoczęściowego żółtego stroju kąpielowego od kostiumu nurka. I czasem, planując ubiór, w jakim należy się pokazywać jakiejś grupie osób, popełniają małe gafy – ale dzięki temu łatwo je rozpoznać.

Pamiętny pokaz mody

Złe wróżki bardzo lubią dokuczać modelkom i projektantom mody. Często przed jakimś ważnym pokazem zakradają się do garderoby, żeby zepsuć to i owo i wsypać do wody mineralnej, którą piją modelki, odrobinę magicznego proszku. Czasami podpiłują jakiś obcas, oderwą kilka guzików, poluzują szwy. Na efekty nie trzeba długo czekać. Do historii przeszedł pokaz, który odbył się w 1966 roku w Paryżu, kiedy to zanotowano rekordową liczbę dziwnych wypadków na wybiegu. Nikt oczywiście nie wiedział, że były one sprawką trzynastu najzłośliwszych wróżek świata. Trzeba przyznać, że przygotowały się do tego wydarzenia szczególnie starannie. Pierwsza modelka, której dosypały do wody magicznego proszku, wyszła na wybieg tyłem, potem stanęła na rękach, zrobiła okropną minę, zaśmiała się paskudnie i oświadczyła, że nigdy nie widziała większego ohydztwa niż suknia, którą właśnie ma na sobie. Druga przykleiła

się do podłogi i zaczęła głośno płakać. A ponieważ miała na twarzy tonę makijażu, łatwo się domyślić, jak wyglądała. Trzecia zamiast w sukni ślubnej – jak to zapowiedział konferansjer – pokazała się w kombinezonie pilota bombowca i fikuśnym kapelusiku z doniczki. Zamiast kwiatów trzymała w dłoni zestaw śrubokrętów w różnych kolorach. Czwarta przebiegła przed zdumioną publicznością w męskich spodniach od piżamy, krótkim fioletowym futerku i ogromnej czapce szefa kuchni. Na koniec z okrzykiem „Niech żyją mole!" skoczyła z wybiegu wprost na kolana pewnej ważnej osobistości, która właśnie zajadała ciastko z kremem. Dwie kolejne modelki zaplątały się w swe kreacje i runęły jak długie na samym środku sali.

A trzynaście elegancko wystrojonych najzłośliwszych wróżek świata siedziało sobie w ostatnim rzędzie. Przy każdym pechowym występie klaskały z zachwytem w dłonie i wołały: „Brawo, brawo – to było fantastyczne!". I oczywiście zaśmiewały się do rozpuku.

Fryzury wróżek

Wróżki słyną z bardzo długich włosów we wszystkich możliwych kolorach i odcieniach.

Utarło się przekonanie, że dobre wróżki mają złote włosy, a złe – czarne jak pochmurna noc.

Nic podobnego! Złe wróżki po prostu rzadziej je myją.

Jeśli chodzi o fryzury, panuje ogromna dowolność – wszystko zależy od humoru i wyobraźni wróżki.

Jest tylko jedna zasada – włosów pod żadnym pozorem nie wolno obcinać.

Zresztą nie jest to możliwe, o czym piszemy nieco dalej.

W krzaku jałowca

Dawniej wróżki bardzo chętnie nosiły rozpuszczone włosy, choć nie zawsze było to wygodne. Swego czasu dużo mówiło się o leśnej wróżce, której podczas codziennych obowiązków włosy tak fatalnie zaplątały się w krzaki jałowca, że biedaczka przez dwa lata nie mogła się ruszyć z miejsca. Uratował ją pewien dobroduszny dzik, który przechodził tamtędy przypadkiem. Jak to zrobił? Zaczął ryć pod krzakiem, aż w końcu wyrwał go z korzeniami.

Gdy wróżki są w dobrym humorze, zaplatają włosy w tysiące warkoczyków. Trwa to bardzo długo, ale efekt jest wspaniały. W warkoczyki wplatają bowiem niezwykłe ozdoby: promyki słońca albo księżyca, wstążki ze skrawka tęczy, mgły lub zorzy polarnej, piórka kolibra, perełki z rosy i oczywiście najpiękniejsze zapachy świata.

Niektóre wróżki pozwalają sobie na odrobinę szaleństwa. Pewna wesoła i przekorna wróżka postawiła swe długie włosy na sztorc, a w dodatku ufarbowała je na zielono – wyglądała jak ogromny wiosenny szczypiorek. Dzięki temu została najwyższą wróżką w okolicy.

Fryzury na specjalne okazje

Kiedy zła wróżka wybiera się na jakieś ważne spotkanie i chce wyglądać wyjątkowo elegancko, po prostu łapie w locie ze dwa nietoperze i wczepia je sobie we włosy. Jeśli nietoperze akurat śpią (wróżkom zależy na dobrych układach z nimi, więc nie chcą przeszkadzać), zarzucają na głowę welon z paskudnych sześćsetletnich pajęczyn. Tych akurat mają pod dostatkiem w swych ponurych zamczyskach. Jeśli tego dnia na obiad był szpinak, kładą odrobinę na czubku głowy i starannie go przyklepują. Niektóre złe wróżki, o ile oczywiście im się chce, przyczepiają sobie sztuczne loczki z dżdżownic, a czasem jako spinek używają jadowitych jaszczurek. To bardzo wygodne rozwiązanie, bo te złośliwe stworzenia, poza tym, że podtrzymują fryzurę, mogą – jeśli zajdzie taka potrzeba – ukąsić boleśnie rozmówcę podczas oficjalnego spotkania. Na ogół jaszczurki wykręcają się, jak mogą, nawet od tych obowiązków, bo w końcu co to za przyjemność być spinką do włosów złej wróżki?

Wielkie czesanie

Na co dzień złe wróżki nie zwracają uwagi na takie drobiazgi jak elegancka fryzura. Dawniej nie czesały się wcale, ale odkąd wynaleziono grabie, robią to raz na pięćdziesiąt lat. Skąd o tym wiadomo? Raz na pięćdziesiąt lat w tajemniczych okolicznościach z większości gospodarstw wiejskich nagle znikają wszystkie grabie. To znak, że zaczyna się wielkie czesanie. Złe wróżki, każda uzbrojona we własnoręcznie ukradzione narzędzie, gromadzą się nad brzegami mulistych bajorek i przez dwa dni i dwie noce rozczesują

Od czasu do czasu wróżki, zwłaszcza złotowłose, lubią sobie polatać. Robią to bez najmniejszego wysiłku – po prostu układają się wygodnie w powietrzu i czekają na silny wiatr, który poniesie je w nieznane. Trzeba przyznać, że wróżka w locie wygląda bardzo atrakcyjnie, ciągnąc za sobą długi złoty warkocz. Zwykli ludzie raczej ich nie widują, ale astronomowie, uzbrojeni w potężne teleskopy, na widok wróżek otwierają ze zdziwienia usta, a potem – nie wiedzieć czemu – ogłaszają wszem i wobec, że nad Ziemią przeleciała kometa.

sobie nawzajem włosy. Kłócą się przy tym okropnie, szarpią i wrzeszczą, wyczesując z fryzur kilogramy zeschłych liści, pajęczyn i mnóstwo innych paprochów. Bywa, że przy tej okazji znajdzie się po latach jakiś zaginiony nietoperz, o którym rodzina już dawno zapomniała. Po tych zabiegach złe wróżki przez chwilę wyglądają bardzo ładnie. Ale tylko przez chwilę, bo na koniec wielkiego czesania nakładają sobie odżywki z błota, igliwia i pajęczyn. Najczęściej nie chce im się tego spłukiwać, więc do następnego wielkiego czesania wyglądają jak zwykle.

Wróżka u fryzjera

Pewnego razu wróżka Liriope postanowiła wybrać się do prawdziwego fryzjera, czyli do takiego, od którego zwyczajne dziewczyny wychodzą ze ślicznymi króciutkimi fryzurkami. Ponieważ nie była zbyt zorientowana w najnowszych trendach (szczerze mówiąc, nie miała o nich pojęcia), odpowiednio wcześniej zakradła się do ekskluzywnego salonu piękności, skąd pożyczyła sobie opasły katalog z fryzurami. Następnego dnia odwiedziła maleńki, przytulny zakładzik fryzjerski na starówce.

– Bardzo proszę obciąć mi włosy na króciutko – powiedziała z uśmiechem od progu. – I może jeszcze zrobić takie różnobarwne pasemka – dodała po chwili. – Proszę też zastosować szampon koloryzujący. I odżywkę. I trochę żelu. I lakier do włosów. I odrobinę brokatu – wymieniała jednym tchem. – A jeśli można, to chciałabym także balejaż – dodała na koniec nieśmiało, bo nie bardzo pamiętała, co oznacza to słowo.

– Oczywiście, droga pani – powiedział fryzjer. Skłonił się szarmancko (szanujący się fryzjer tak właśnie robi, zanim przystąpi do rzeczy), wziął nożyczki, ale gdy chciał wykonać pierwsze cięcie, stało się coś dziwnego – nożyczki zamieniły się w kolorową papugę i usiadły wróżce na ramieniu.

– Nic nie szkodzi, nic nie szkodzi, mam jeszcze mnóstwo nożyczek – podśpiewywał sobie pod nosem fryzjer, bo odkąd pięknowłosa klientka weszła do jego saloniku, miał znakomity humor. Ko-

Z włosami związanych jest kilka wróżkowych przysłów.
Oto niektóre z nich:
• Wiatr czesze, kogo chce, co znaczy: nie ma sposobu na wyroki losu.
• Na betonie włosy nie rosną, oznaczające coś niewykonalnego.
• Wierny jak włos, czyli: nie można na niego liczyć.
• Siedzi jak łysy u fryzjera, czyli: być nie na swoim miejscu.

lejne nożyczki, a także grzebienie, suszarki do włosów i inne akcesoria, zamieniały się w kwiaty, motyle, kwitnące drzewka, kolibry i inne barwne ptaki. Fryzjer był coraz bardziej zachwycony, a wróżka coraz smutniejsza. Salon fryzjerski przypominał jej rodzinną łąkę, do której nagle zatęskniła. Zerwała się z fotela, pożegnała uprzejmie i wybiegła, by jak najszybciej wydostać się z miasta. A fryzjer patrzył rozmarzony, jak jej długie, złote i absolutnie niemożliwe do obcięcia włosy rozwiewają się na wietrze.

Piosenki wróżek

Czy wróżki śpiewają piosenki? Oczywiście! I to bardzo chętnie. Co więcej, same je
układają – zwłaszcza wiosną, kiedy świat budzi się do życia po szaroburej zimie.
W ciepłe, słoneczne dni wróżki lubią przesiadywać na coraz bardziej zielonych
łąkach i wsłuchiwać się w wiatr, który wplątuje im we włosy nutki. Czasami siadają
na najwyższych gałęziach drzew, by wśród świeżych jasnozielonych liści
lub białych albo różowych kwiatów
wygrzewać się do woli.

Najlepsza letnia piosenka

Każdego roku wróżki układają nowe piosenki, które śpiewają potem przez całe lato. A pod koniec września urządzają konkurs na najładniejszą letnią piosenkę – nucą ją później wszystkie zwierzęta zapadające w zimowy sen. To właśnie dzięki niej zasypiają duże, groźne niedźwiedzie i małe, zabawne wiewiórki. Gdyby nie piosenki wróżek, kto wie, czy udałoby im się zasnąć. A nawet gdyby usnęły, to pewnie nie miałyby tak miłych i kolorowych snów.

Największe szanse na pierwsze miejsce w konkursie na letnią piosenkę roku ma ta, w której uda się zamknąć najwięcej letnich dźwięków: szum traw, plusk deszczu w kałużach, szemranie strumyka, grzmot podczas burzy, trzask pękającego pąka czereśni, plaśnięcie spadającego jabłka, odgłos kroków kota na ciepłym piasku, trzepot skrzydeł motyla, brzęczenie pszczoły i wiele, wiele innych. Słowa piosenki muszą opowiadać o czymś, co zdarzyło się naprawdę i dzięki czemu ktoś stał się szczęśliwszy.

Piosenki smakowe

Wróżki, jako jedyne istoty na świecie, potrafią układać i śpiewać piosenki o różnych smakach. Kiedy śpiewają o wiśniach, słuchacze czują na języku smak wiśni, a gdy o wanilii, czują się tak, jakby jedli lody waniliowe.

Piosenki wróżek mają jeszcze jedną właściwość – zaspokajają głód. Wystarczy zaśpiewać wróżkową piosenkę o obiedzie z dwóch dań i o deserze, by czuć się najedzonym po uszy. Zwierzętom zapadającym w zimowy sen wróżki nucą delikatnie o ich przysmakach, żeby śpiochy nie zgłodniały do wiosny.

Smakowe piosenki mają też inne zastosowanie. Kiedy śpiewającym dobrym wróżkom usiłują przeszkodzić ich złe koleżanki – z zazdrości, bo same okropnie fałszują – dobre zaczynają nową zwrotkę o czymś, co ma ohydny albo ostry lub strasznie słony smak, i złe wróżki uciekają, plując wokół wściekle i z obrzydzeniem. A gdzie splują, tam natychmiast pojawia się kretowisko. Jeżeli zobaczycie na łące albo w ogrodzie kopce kretów, będziecie wiedzieć, że uciekała tamtędy zła wróżka, która pluła bez opamiętania.

Piosenka bielinka kapustnika

Abyście nie posądzili nas o gołosłowność, zamieszczamy tekst piosenki, która w zeszłym roku wygrała konkurs na najlepszą letnią piosenkę. Jest to, rzecz jasna, tłumaczenie, wróżki mają bowiem swój własny język, w którym myślą, mówią i śpiewają. Melodii przełożyć na ludzki język nut, niestety, się nie da, a każdy, komu dane było choć raz usłyszeć śpiewającą wróżkę, rozumie dlaczego.

Panie i panowie, oto zeszłoroczna laureatka – *Piosenka bielinka kapustnika*:

W sierpniu, kiedy świerszcze grały,
Rzekł do ćmy bielinek mały:
Biel mi szczerze już obrzydła,
Chcę mieć kolorowe skrzydła.
Może jest nadziei krzynka
Na kolory dla bielinka?

Stara ćma koło stodoły
Rzekła: Phi, takie bazgroły?
Jakieś eski i floreski?
Kółka, kropki, szlaczki, kreski?
Toż to straszne jest bezguście.
Już ty lepiej siedź w kapuście.

Jak ci pomóc, mój bielinku?
Jest w miasteczku koło rynku
Sklep z farbami, lecz sprzedawca,
Choć malarstwa wielki znawca,
Farb do skrzydeł ci nie sprzeda,
Bo malować ich się nie da.

Leć do zoo. W niezbyt długą
Pogawędkę się z papugą
Wdaj. Niech powie, tylko szczerze,
Skąd kolory swoje bierze.
I niech radę ci wyskrzeczy,
Która smutek twój uleczy.

Po co farby? Po co kredki?
Obłok rzekł do margaretki.
Spójrz, bielinku, na me płatki,
Rzekł rumianek, biel to rzadki
Kolor jest. I jest on w cenie.
Ja go za nic nie zamienię!

Kuchnia wróżek

Wróżki uwielbiają jeść, zwłaszcza w miłym towarzystwie. Czy mają jakieś tradycyjne potrawy?
Owszem, ale przyrządzają je niezbyt często, wolą bowiem jedzenie przygotowane
przez ludzi. Za gotowanie zabierają się wtedy, gdy zbliża się ważna uroczystość albo rocznica.

Fast food

Kiedy wróżkę dopadnie nagle głód, a nie ma czasu, żeby usiąść i spokojnie coś przekąsić, śpiewa sobie piosenkę o jajku na miękko albo o kanapce z szynką, zieloną sałatą i majonezem i, jak to w przypadku smakowych piosenek bywa, głód na jakiś czas znika. Śpiewanie nie zastąpi jednak przyjemności jedzenia.

Mrożonki

Wróżki za żadne skarby świata nie tknęłyby konserw ani mrożonek. Nie mieści im się w głowach, jak można zamknąć w ciasnej i ciemnej puszce zielony groszek albo kukurydzę – czy groszek lub kukurydza zasłużyły na więzienie? Warzywo, które przesiedziało w puszce tak długo, na pewno po uwolnieniu zacznie rozrabiać, awanturować się i mścić. Tak przynajmniej sądzą wróżki.

Ale konserwy to jeszcze nic. Prawdziwy niepokój wróżek budzą mrożonki. Odkąd na świecie pojawiły się mrożonki, ludzie zachowują się znacznie gorzej. Tak przynajmniej sądzą wróżki. Podejrzewają, że to sprawka wyjątkowo paskudnych złych wróżek lodowych, które uwielbiają zamieniać wszystko, co żywe, wesołe i kolorowe w zimne sople lodu. Są sprytne, trudno je wytropić i pokonać. Dobre wróżki nie potrafią pozbyć się myśli, że mrożonki to podstęp, za pomocą którego lodowe wróżki chcą zapanować nad światem, sprawiając, że jedzący je ludzie zamienią się w chodzące bryłki lodu. Na nic się zdaje tłumaczenie, że zamrażanie polędwicy, brukselki i fasolki szparagowej nie ma nic wspólnego ze złymi wróżkami lodowymi, bo służy jedynie ludzkiej wygodzie. Poza tym nikt przecież nie je mrożonek prosto z zamrażarki. Nieważne – mówią wróżki – to, co zostało raz zamrożone, pozostanie zimne na zawsze, bo zamrażanie pozbawia je wewnętrznego ciepła. A na Ziemi wyłączność na zamrażanie mają tylko wróżki lodowe. Nie słyszeliście o Królowej Śniegu?

Na widok niektórych owoców i warzyw z jakiegoś nieznanego ludziom powodu wróżki dostają ataku śmiechu – na przykład nie chcą powiedzieć, dlaczego tak śmieszą je agrest i rabarbar. Kiedy widzą kalafior, nie potrafią się powstrzymać, żeby nie wleźć do środka i nie pobawić się w chowanego. Podobnie ma się sprawa z brokułami. Gdy obierają cebulę, nie płaczą, ale zaśmiewają się do rozpuku, opowiadają jakieś dziwne historie, potem zasypiają, a następnego dnia boli je głowa. Sprzedaż cebul dozwolona jest tylko dorosłym wróżkom.

Pół biedy, jeśli wróżki psioczą tylko na mrożonki. Gorzej, jeśli zaczynają z nimi walczyć, święcie przekonane, że w ten sposób krzyżują plany złym wróżkom lodowym. W jaki sposób wojują z setkami kilogramów zamrożonych owoców, warzyw, pierogów, paluszków rybnych, frytek i befsztyków? Psują w sklepach zamrażarki, a w magazynach wielkie chłodnie, sprawiając, że wszystko się rozmraża i nadaje już tylko do wyrzucenia. Przebijają opony w ciężarówkach, które przewożą mrożonki z fabryk do sklepów, a w fabrykach szukają sobie kryjówki w halach, gdzie rolnicy wyładowują marchewki i kalafiory, i śpiewają nad nimi piosenkę o gorzkim piołunie – i cała partia towaru nie nadaje się do przerobienia. Ich zachowanie budzi oburzenie pozostałych dobrych wróżek, które, co prawda, dostrzegają mrożonkowe zagrożenia, ale nie popierają takich metod działania.

Gorące mleko

Wróżki uwielbiają gorące mleko. Od czasu do czasu pozwalają sobie na jedną szklaneczkę tego napoju. Brzuch rośnie im wtedy jak balon, bez żadnych magicznych sztuczek unoszą się w powietrze i przez kilka godzin szybują leniwie pod sufitem albo pod chmurami, w zależności od tego, czy raczą się nim w zamkniętym pomieszczeniu, czy na łące.

Czy wróżki są wegetariankami?

Na to pytanie odpowiedź jest prosta: nie. Do ich ulubionych mięsnych potraw należą: żabie udka, pasztet z gęsi, cynaderki, sztufada, szatobriand i frykadelki. I owoce morza. Wszystkie te potrawy znalazły się na stole podczas przyjęcia, jakie na cześć swej córki, znanej pod pseudonimem Śpiąca Królewna, wydał jej ojciec. Po tej pamiętnej uczcie, na którą – jak wiadomo – zaproszono także kilka wróżek, wspomniane frykasy weszły na stałe do wróżkowego jadłospisu.

Tradycyjne potrawy

Podczas uroczystości i imprez organizowanych z okazji wróżkowych świąt obowiązuje tradycyjne menu. Jego szczegóły są tajemnicą, jak wiele innych detali związanych z życiem wróżek, ale wiadomo ponad wszelką wątpliwość, że z okazji wiosennej równonocy zawsze podaje się miód spadziowy, obowiązkowo w czapeczkach żołędzi, orzechy włoskie i laskowe, syrop klonowy i zapiekankę z siekanych jajek, żołędzi, kasztanów i szczypiorku przygotowywaną w pustych muszlach winniczków – wyjada się ją specjalnymi łyżeczkami. Podczas uroczystości z okazji zimowego przesilenia w kulminacyjnym momencie na stoły wjeżdża krochmal z tartą bułką – wróżki wstydzą się do tego przyznać, ale najbardziej ze wszystkiego na świecie lubią właśnie to: miskę krochmalu posypanego tartą bułką jak parmezanem, którego, mówiąc między nami, nie cierpią.

Bale wróżek

Wróżki uwielbiają bale. Kochają tańczyć, śpiewać, przebierać się w kolorowe suknie,
przymierzać pantofelki na obcasach, wymyślać nowe fryzury, śmiać się i flirtować –
a gdzie znaleźć lepszą okazję do tego niż na balu?

Łza złej wróżki

Z grona entuzjastek balów należy wyłączyć jedynie wróżki marudy, ale im nigdy nic się nie podoba, i wróżki leniuszki, które są tak leniwe, że nawet spać im się nie chce. Co ciekawe, czasami także złe wróżki podkradają się cichcem w pobliże bawiących się, kucają pod krzakiem bzu albo czają się pod oknem i patrzą, patrzą, patrzą. W pewnym momencie prawe nogi zaczynają im delikatnie drżeć w rytm muzyki i unosić się w górę i w dół. U każdego innego stworzenia takie zachowanie z pewnością nazwano by przytupywaniem, ale u złych wróżek? Kiedy tylko zauważą, że właśnie zaczynają tańczyć, natychmiast udzielają sobie nagany – wiadomo przecież, że nie wolno im się tak zachowywać! Jak mógł się im spodobać bal dobrych wróżek! Przecież wszystko, co piękne i wesołe, i miłe, złym wróżkom wydaje się obrzydliwe! Tfu, tfu! Gdy już udzielą sobie reprymendy, odwracają się na pięcie i odchodzą. Ale nim ucichnie muzyka dolatująca przez otwarte okna, nim w powietrzu rozpłynie się zupełnie coraz delikatniejszy zapach perfum, ciast i tortów,

Wróżki tańczą wszystko do każdej melodii, a nawet do każdego dźwięku. Tango w rytmie rock and rolla czy walc do melodii charlestona to dla nich żadna trudność. Ale kto oprócz nich potrafi wychwycić rytm w śpiewie ptaków w lesie albo w szumie wiatru i stukaniu kropli deszczu o parapet i zatańczyć do tej melodii? Wróżki mieszkające na łące lubią tańczyć do rytmu rosnących traw i kwitnących kwiatów. Gdyby tak dało się to zobaczyć! Na tańczące wróżki jednak lepiej nie patrzeć.

nim obraz balu stanie się tylko wspomnieniem, często jeszcze jeden jedyny raz odwracają głowę, by rzucić okiem na bawiące się wróżki. I tylko noc widzi, że w kąciku oka niemal każdej złej wróżki kręci się wtedy łza. I tylko wiatr słyszy ciche, smutne westchnienie.

Wyścig na gramofonie

Bal to jednak nie tylko pląsy i kontredanse. W przerwach pomiędzy tanecznymi drobnymi krokami, głębokimi ukłonami, zamaszystymi obrotami i piruetami, a także napychaniem brzuszków słodkościami, wróżki umilają sobie czas konkursami. Do jednej z ich ulubionych zabaw potrzebny jest gramofon. To urządzenie, dzięki któremu można słuchać muzyki z płyt, ale nie z nowoczesnych srebrzystych CD, lecz ze starych, dużych, czarnych i eleganckich, pachnących winylem, z błyszczącymi rowkami. Wróżki kładą czarną płytę na talerz gramofonu, naciskają guzik z napisem „start" i płyta się kręci. Wspaniale! Jak na karuzeli. Opuszczają ramię z igłą na płytę, igła trafia w rowek i zaczyna się wyścig. Najlepiej, gdy uda się zdobyć stary gramofon o nazwie Bambino, na którym bardzo stare płyty odtwarzało się z zawrotną prędkością 76 obrotów na minutę! Wróżki wskakują na płytę i uciekają przed pędzącą za nimi igłą. Rowek na płycie przypomina spiralę albo ślimaka zakręconego od brzegu do środka, a wszystkie odtwarzane dźwięki utrwalone są właśnie w nim. Igła podskakuje na nierównościach płyty jak ciężarówka wioząca różne lżejsze i cięższe dźwięki, a z głośników dobiega muzyka. Wróżki pędzą w czarnym rowku, przepychając się między nutkami i potykając o dźwięki. Która pierwsza dobiegnie do mety pośrodku płyty? Która dziś wygra?

Podglądacze

Czy ktokolwiek z ludzi był kiedyś zaproszony na bal wróżek? Nikt i nigdy. A czy komuś uda się kiedyś dostać zaproszenie na taki bal? Nie. Wróżki bardzo się starają, by nikt nie zobaczył, jak tańczą, wiedzą bowiem, że ich pląsy robią na zwykłych śmiertelnikach tak wielkie wrażenie, że zapominają oni o całym świecie i zastygają jak słup soli. Ale to niejedyny problem. Najgorsze, że ten, kto zobaczy tańczące wróżki, traci poczucie rzeczywistości i czasu – a czas wróżek, zwłaszcza tańczących, płynie zupełnie inaczej niż nasz. Kto obserwował kilkuminutowy taniec, z przerażeniem stwierdza, gdy ucichną ostatnie dźwięki, że minęło kilka lat! Kto oniemiały podziwiał kilka wróżkowych tańców, budzi się po kilkunastu lub kilkudziesięciu latach w zupełnie innym świecie – bez bliskich, bez znajomych, bez domu. Prawdziwe nieszczęście! Wróżki, złe na siebie, że nie zauważyły podglądacza, i smutne z powodu tego, co się z nim stało, postanawiają mu pomóc. Wszystko, co mogą zrobić, to zaprowadzić go do króla elfów, by przyjął nieszczęśnika do swojej kompanii. A król elfów, który nie potrafi wróżkom odmówić, zgadza się i magicznym zaklęciem zamienia podglądacza w elfa.

Wróżki nie przepadają za płytami CD. Próbowały kiedyś ścigać się na kręcącej się płycie w odtwarzaczu, ale po pierwsze laser strasznie świecił im w oczy, a po drugie ślizgały się na powierzchni płyty jak na lodzie i bez przerwy lądowały na pupach. Co do plików mp3, to wróżki same nie wiedzą, co o nich sądzą, gdyż, jak twierdzą, samego pliku nie ma, jest tylko nośnik, czyli albo komputer, albo odtwarzacz mp3. To jakaś osobliwa, nieznana im magia. Przyglądają się jej i trochę się jej boją.

Czy wróżki plotkują?

Wróżki, jak wiemy, lubią się spotykać, żeby pogadać. Uważają, że prawdę można powiedzieć tylko osobiście, patrząc rozmówcy w oczy. Coś, co ktoś mówi komuś o kimś lub o czymś, nie wzbudza ich zaufania.
Dlatego takim niesmakiem napawa je telewizja i dlatego tak gardzą gazetami.

W telewizji i radiu mówi się wiele rzeczy, które trafiają do milionów odbiorców. Ale autorzy programów nie patrzą nikomu w oczy. Nawet gdyby chcieli, to jak mieliby spojrzeć równocześnie w oczy tysiącom widzów czy słuchaczy? Nic dziwnego, że wróżki czują niechęć do telewizji. Potrafią wprawdzie całymi godzinami oglądać romantyczne komedie, filmy o miłości i bajki, ale to zupełnie inna sprawa. Podobno to właśnie one układają najlepsze historie, a potem sprytnie podrzucają je scenarzystom i reżyserom. Ci oczywiście nie mają o tym zielonego pojęcia. Opowiadają na prawo i lewo, że spłynęło na nich natchnienie, że mieli wenę. Jakie tam natchnienie! Jaka wena! To po prostu wróżki-scenariuszki i ich świetne pomysły…

Homonimy to takie śmieszne wyrazy, które brzmią tak samo, ale mają różne znaczenia, na przykład wyraz bal, który oznacza huczną zabawę albo duży kloc drewna. Takie wyrazy są również w języku wróżek. Oto kilka przykładów wróżkowych homonimów:
- *plotka to także chwast i, nie wiadomo czemu, wiewiórka*
- *kłamstwo to także telewizja*
- *kłamca i telewizor*
- *brzydki zapach i gazeta.*

Słowa prawdy

Z gazetami jest inny problem. Wróżki nie mają zaufania do słowa pisanego (wyjątki: powieści o miłości, bajki, książki telefoniczne i kucharskie, atlasy kwiatów, komiksy i encyklopedie). Niektórzy twierdzą nawet, że nie umieją pisać, ale to chyba oszczerstwo.

Obrońcy dobrego imienia wróżek protestują:

– Jak to nie umieją? Przecież mają swoje księgi z zaklęciami!

Ale przekonani o analfabetyzmie wróżek odpowiadają:

– A widział kto kiedy taką księgę? Kto wie, co tam jest w środku? Może przepis na jajecznicę, narysowany, rzecz jasna, albo kolorowanki?

Co na to wróżki?

– Pisanie i czytanie – stwierdziła kiedyś Kleome Spinoza w rozmowie z pewnym wyjątkowo życzliwym i lubianym przez wróżki wróżkologiem – od razu zakłada czyjąś nieobecność: albo tego, kto będzie czytał, albo tego, kto napisał, więc jest podejrzane. Po co pisać list do kogoś, skoro lepiej pójść do niego i porozmawiać? Po co czytać to, co ktoś napisał, skoro lepiej go odwiedzić i wysłuchać, co ma do powiedzenia?

Wróżkolog podrapał się w brodę i odrzekł:

– Weź jednak, moja droga Kleome, pod uwagę taki oto fakt: czasem ludzi, którzy chcieliby ze sobą porozmawiać, dzielą ogromne odległości – miasta, kraje, a nawet kontynenty. Ludzie tęsknią za sobą.

Nie umieją tak jak wróżki błyskawicznie przenosić się z miejsca na miejsce, a dzięki listom mogą być choć trochę bliżej siebie.

– Mój przyjacielu – odparła wróżka, a trzeba dodać, że rzadko się zdarza, by wróżka nazwała kogoś swym przyjacielem – mówisz, jakbyśmy żyli w XIX wieku. Dziś mamy Internet i wideotelefony. Czyżbyś tego nie zauważył? Podłączasz kamerę do komputera i możesz mówić, patrząc rozmówcy w oczy. To chyba lepsze niż gapić się na kartkę papieru i coś tam na niej bazgrać, nie sądzisz?

– No tak, niby tak – odparł wróżkolog, nie do końca przekonany. – Ale ludzie, w przeciwieństwie do wróżek, potrafią kłamać, nawet patrząc prosto w oczy. W naszym świecie nie ma znaczenia, czy się mówi, czy pisze – jeśli ktoś ma zamiar skłamać, to i tak skłamie. W waszym świecie sprawa jest prostsza – kto pisze, kłamie, kto mówi, patrząc w oczy, nie kłamie. A listy… hmm… Listy mają swój urok.

Wróżkolog i Kleome uśmiechnęli się do siebie. I poszli do pobliskiej herbaciarni na filiżankę świeżej, pachnącej herbaty prosto z Indii.

Wróżki, które nie zapisują swoich historii, ale jedynie je zapamiętują, mają świetną pamięć. Pamiętają wszystko, co na dłuższą metę jest męczące. Tak przynajmniej twierdzą. Przypominają więc trochę książki audio albo kasety magnetofonowe. Elfy, kiedy rozmawiają ze sobą o tych wróżkach, których nie lubią, tak właśnie je nazywają. O, idą kasety – mówią. A wróżki strasznie to denerwuje, więc odwdzięczają się elfom, nazywając je zielonymi pajacami. Czego z kolei strasznie nie lubią elfy.

Mistrzynie rozmowy

Wróżki niespecjalnie lubią informacje z drugiej ręki, więc nie plotkują, bo plotkowanie to właśnie opowiadanie niesprawdzonych historii. Gdyby wróżki plotkowały, wyglądałoby to na przykład tak:
– Słuchaj, Kleome, mówiła mi Cyńja, że podobno Gajlardia słyszała od Dzianwy, że Lirope zwierzyła się Kaskanii, iż zaręczyła się z fryzjerem… (Jak pamiętamy, nic takiego się nie wydarzyło). Ale wróżki nie plotkują. Opowiadają o sobie, wymyślają różne historie, lecz ich nie zapisują. Uczą się ich na pamięć, zupełnie jak ludzie w starożytności, kiedy nie znali jeszcze pisma.

Savoir-vivre

Savoir-vivre, znany również jako bon ton, w świecie wróżek ma zdecydowanie większe znaczenie niż u ludzi.
Dla nas savoir-vivre to tylko dobre zachowanie i odpowiednie maniery, wróżki do bon tonu zaliczają także
między innymi zasady ruchu drogowego i reguły obowiązujące przy wyczarowywaniu pałaców.

Wróżki bon tonu

Dobre maniery są bardzo ważne – to oczywiste dla każdego dziecka. Mało kto jednak wie, że to właśnie wróżki dobrych manier, czyli wróżki bon tonu, stworzyły dla ludzi specjalny kodeks właściwego zachowania i słowa-zaklęcia, które mogą zmieniać świat każdego dnia. Jest ich wiele i z pewnością wszyscy je znają, choć używanie ich sprawia czasami wielką trudność. Jakie to słowa? Dziękuję, proszę, przepraszam, dzień dobry, do widzenia – wróżki zaczarowały je w taki sposób, by były jak małe zaklęcia, miały moc ułatwiania życia i sprawiały, że każdy dzień może być łatwiejszy i piękniejszy. Ale pod jednym warunkiem: trzeba wypowiadać je z przekonaniem, a osoba, do której są skierowane, nie może być naburmuszona. To taki specjalny rodzaj czaru, który działa tylko wśród ludzi, i tylko wtedy, kiedy są dla siebie mili.

Nie zawsze jest to łatwe, ale warto spróbować, bo kiedy wypowiada się te słowa w sposób prawidłowy, uradowane wróżki bon tonu natychmiast pojawiają się w pobliżu, biorą się za ręce i tańczą jak szalone. Ludzie czują wtedy delikatny, ciepły powiew wiatru na policzkach i uśmiechają się, sami nie wiedząc dlaczego. Ale są też tacy, którzy, marszcząc brwi, rozglądają się w koło. Skąd ten przeciąg, u licha? – zastanawiają się. Przecież wszystkie okna są pozamykane.

Imperium dobrych manier

Część wróżek przypisuje sobie zasługę ucywilizowania ludzi, na tyle oczywiście, na ile się dało. Bez nas – mawiają – ciągle jeszcze ganialibyście po drzewach w poszukiwaniu bananów jak wasi dalecy włochaci kuzyni. Są bardzo dumne z tego, że nauczyły ludzi dobrych manier. Ich zdaniem, to właśnie przestrzeganie zasad dobrego wychowania decyduje o rozwoju ludzkości. Na naszej planecie powstawały i upadały różne państwa: dawno, dawno temu najważniejsi byli Sumerowie, pierwsza wielka cywilizacja, następnie Egipcjanie, którzy budowali piramidy, potem Grecy, którzy wymyślili olimpiadę, a później Rzymianie, słynni dzięki cezarom. W Azji Chińczycy budowali Wielki Mur, a Japończycy sadzili wiśnie. A w Ameryce Południowej Inkowie, Majowie i Aztekowie jedli fasolę i kukurydzę ze złotych talerzy. Wszyscy ci ludzie tworzyli imperia, czyli bardzo wielkie i silne państwa. Wróżki uważają, i upierają się przy tym straszliwie, że udało się to właśnie dzięki dobrym manierom. Co tam technika! – prychają lekceważąco – co tam nauka czy wojska odbierające siłą komuś to, co do niego należy! Co tam bogactwa! To wszystko rzeczy drugorzędne. Twierdzą bowiem, że dawne i obecne imperia zaczęły rosnąć w siłę, kiedy ich obywatele nauczyli się używać słów: dziękuję, proszę, przepraszam, dzień dobry, do widzenia, a upadały, kiedy nikomu już się tych słów nie chciało używać. To jasne jak słońce.

Co bardziej zasadnicze wróżki uważają, że na usłyszane miłe słowo należy odpowiedzieć słowem co najmniej równie miłym. Zdarza się więc i tak, że czasami efektem jakiegoś błahego wydarzenia, na przykład ustąpienia miejsca w karecie, jest wielotygodniowe wzajemne dziękowanie. Na dziękuję pada odpowiedź bardzo dziękuję, później bardzo bardzo dziękuję, następnie bardzo bardzo bardzo dziękuję, jeszcze później bardzo bardzo bardzo bardzo dziękuję itd., aż ktoś nie przerwie tego festiwalu uprzejmości specjalnym zaklęciem.

Witamy na Księżycu!

Wielkie osiągnięcia są, zdaniem wróżek bon tonu, wynikiem tego, że ludzie zaczęli traktować się uprzejmie i z szacunkiem. Jako ulubiony przykład podają lot na Księżyc. Skonstruowanie rakiety, która wyniosła ludzi w kosmos, pozwoliła im wylądować na powierzchni Srebrnego Globu i bezpiecznie wrócić na Ziemię, to dla nich nic szczególnego. Toż to dziecinnie proste – mówią – czym się tu ekscytować? Ich uwagę zwraca co innego:

– Patrzcie – mówią – co się dzieje, jeśli jakaś grupa ludzi zacznie być dla siebie miła i życzliwa. Zwykłe bujanie w obłokach są w stanie zamienić w spacer po Księżycu. Czyż to nie cudowne?

Trochę przesadzają.

Zasady ruchu drogowego

Wróżki już dawno ustaliły, że savoir-vivre musi także obejmować zasady ruchu drogowego. Umiejętność zachowania się w podróży jest bowiem dla nich jednym z wyznaczników kultury osobistej. Najważniejsze paragrafy kodeksu drogowego wróżek są następujące:

✳ na skrzyżowaniu pierwszeństwo przejazdu ma starsza wróżka, a jeżeli zdarzy się tak, że wróżki będą w takim samym wieku, powinny rzucić monetą – orzeł wygrywa;

✳ przez cały rok i o każdej porze dnia i nocy obowiązuje zakaz jazdy karetą z włączonymi światłami. To zrozumiałe – wróżki nie lubią zwracać na siebie uwagi.

Budownictwo

Wyczarowując pałac zgodnie z zasadami savoir-vivre'u, należy zadbać o to, by użyte do tego celu materiały nadawały się do przetworzenia. Co to oznacza? Że drewno, z którego zrobione są meble do pałacu wróżki, po odczarowaniu ponownie stanie się żywym, rosnącym drzewem. Wyczarowując pałace, wróżki pożyczają od natury rozmaite elementy i nigdy nie zapominają, że będzie trzeba je zwrócić lasom, rzekom i łąkom w idealnym stanie.

Ważne jest to, by pałac wyczarowany na przykład 6 maja odczarować także 6 maja – to jedna z kardynalnych zasad. W praktyce kilka dni w jedną czy drugą stronę nie robi różnicy, ale niedopuszczalne jest to, by pałac wyczarowany w maju odczarowywać w grudniu – delikatna wiosenna przyroda nie sprosta przecież zimie, kiedy pada śnieg i panoszy się siarczysty mróz. Majowe kwiaty zwrócone naturze w grudniu czeka marny los i lodowa śmierć.

Opowieść o modrzewiu

Modrzew, drzewo iglaste, które jesienią zrzuca igły, to wynik pomyłki wróżki o imieniu Iksja, jednej z najbardziej roztargnionych wróżek na świecie. A było to tak: by wyczarować wieszaki na ubrania w swoim nowym pałacu, Iksja użyła paproci – a działo się to właśnie w maju. Gdy wiele lat później odczarowała swój pałac, przez pomyłkę zrobiła to w grudniu. Nim jednak się za to zabrała, zamyśliła się głęboko:

– Zaraz, zaraz, kiedyż to ja wyczarowałam ten piękny pałac, który tak dobrze mi służył przez … – zastanowiła się. – Ile to lat minęło? Tysiąc? Nie, chyba raczej dwa tysiące. Nie, raczej dwa tysiące sześć lat. Tak, na pewno. A jaki to był miesiąc? Chyba grudzień.

I wypowiedziała zaklęcie. Gdy wieszaki na ubrania ponownie stały się paprociami, bezlitosny mróz natychmiast ściął im liście. Na ten widok wróżka posmutniała. Nie mogła pozwolić, by mróz uśmiercił nieszczęsne paprocie, dlatego zamieniła je w dziwne iglaste drzewo, które jesienią zrzuca igły – w modrzew.

Surowce wtórne

Po zdemontowaniu pałaców, czyli ich odczarowaniu, wróżki zwracają naturze pożyczone materiały. Niekiedy dzieje się tak, że część materiałów zamienia się w coś innego, na przykład kamienie w złoto, róże w miedź, woda w sól, a popiół w węgiel.

Rozrywki wróżek

Prawie wszystkie wróżki lubią się bawić, jedne mniej, inne bardziej, ale trzeba by długo szukać, żeby znaleźć taką, która choć od czasu do czasu nie będzie miała ochoty na odrobinę rozrywki.

Wróżki dobrej zabawy

Szczególnym przykładem rozrywkowych wróżek są wróżki dobrej zabawy – ich głównym życiowym zadaniem jest troska o to, by ludzie dobrze się bawili. Zazwyczaj wywiązują się ze swoich obowiązków wzorowo, a ludzi namawiają do zabawy bez względu na okoliczności, co nie zawsze dobrze się kończy. Jeśli na przykład ktoś ma do wyboru wyjście do kina i naukę na jutrzejszą klasówkę, i wybierze kino, z dużą dozą prawdopodobieństwa może powiedzieć, że takie rozwiązanie podszepnęła mu wróżka dobrej zabawy.

Muzyka

Wiele wróżek jest święcie przekonanych o tym, że nie ma dobrej zabawy bez psikusów. Sądzi tak zwłaszcza pewien rodzaj wróżek-urwisów, które robią wszystko, aby narozrabiać, na przykład podczas koncertu muzyki klasycznej. Przede wszystkim klasycznej. Te małe wróżki niezwykle bawi to, że w filharmonii wszyscy są tacy poważni, ubrani w śmieszne fraki i suknie, a muzyka brzmi, jakby skomponował ją ktoś pozbawiony poczucia humoru.

Podczas koncertów orkiestry symfonicznej wskakują do puzonów, fagotów i innych instrumentów dętych (wróżki mówią „nadętych"), żeby po chwili wyle-

cieć z nich jak z procy. Kiedy trębacz nabierze powietrza, przyłoży ustnik do ust i wdmuchnie całe powietrze z płuc do trąbki, żeby zagrać coś pięknego, przy okazji wystrzeli także wróżkę, która leci i leci, czasem nawet aż do dziesiątego rzędu. Dźwięk, jaki wydobywa się wtedy z trąbki, nazwać można tylko fałszem. Trębacz, zakłopotany, drapie się w głowę, zagląda do trąbki, przeprasza chichoczącą publiczność i zaczyna jeszcze raz.

Wróżki lubią także zaczaić się na brzegu puzonu i łapać za włosy wylatujące z niego nuty – efekt jest taki, że słuchacze mają wrażenie, że muzyk fałszuje. Trudno, żeby nie fałszował, skoro ciągnięte za włosy nuty piszczą, jęczą i brzydko odgrażają się wróżkom, zamiast pięknie śpiewać swoje tony. A zawstydzony muzyk nie wie, co się dzieje. Gra przecież jak zawsze, a tu taka kompromitacja!

Moda

Małe miejskie wróżki modnisie większość dnia spędzają na półce między kosmetykami. Uczą się na pamięć wydrukowanego na opakowaniach składu lakieru do włosów i sposobu użycia pudru, a potem komponują do zapamiętanych tekstów melodie i podśpiewują sobie piosenki, na przykład pod tytułem: *Sposób użycia dezodorantu* albo *Z czego zrobiona jest szminka do ust*. Kiedy tylko nadarza się okazja, wskakują do pudełeczka z biżuterią i udają brylanty.

Wróżki-modnisie dość twórczo łączą wiedzę kosmetyczną i kulinarną. Najciekawszym, a niektórzy twierdzą, że także najśmieszniejszym tego przykładem jest ich podejście do pudru. Z jednej strony uwielbiają słodkości, a z drugiej pudrowanie noska – zamiast pudru kosmetycznego używają więc do tego celu cukru pudru. Śmieją się potem, kichają i pytają jedna drugą: No i co słychać, moja słodziutka?

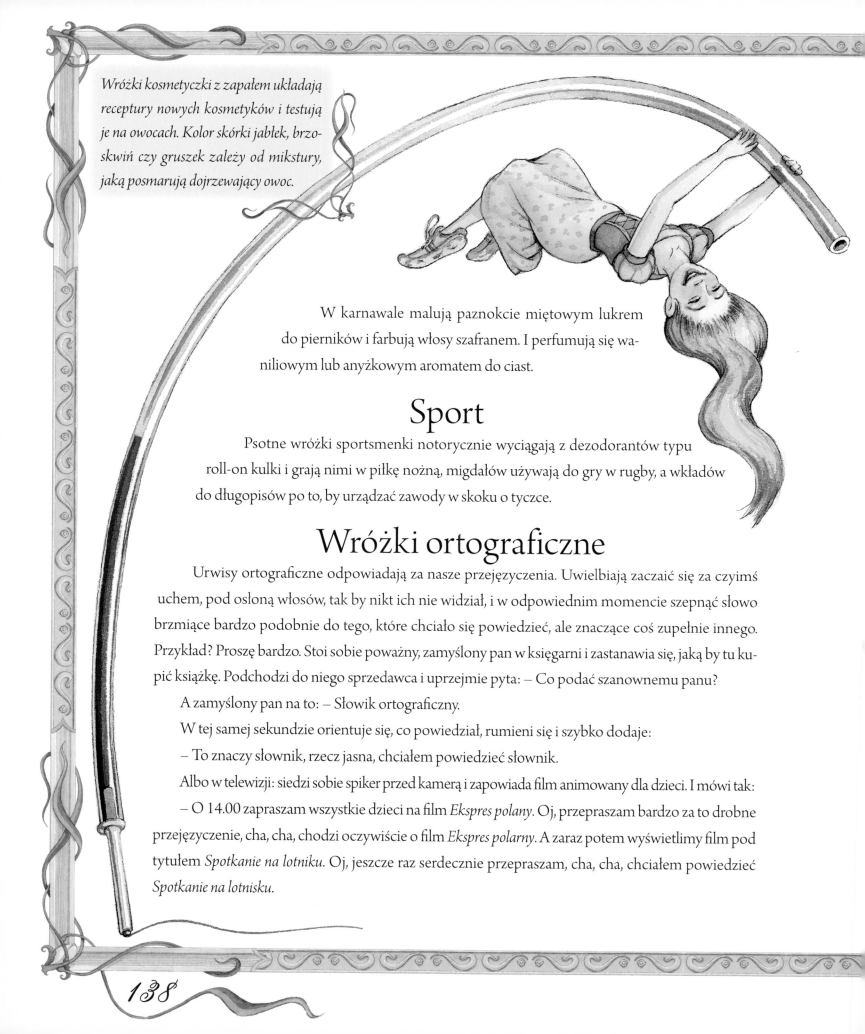

Wróżki kosmetyczki z zapałem układają receptury nowych kosmetyków i testują je na owocach. Kolor skórki jabłek, brzoskwiń czy gruszek zależy od mikstury, jaką posmarują dojrzewający owoc.

W karnawale malują paznokcie miętowym lukrem do pierników i farbują włosy szafranem. I perfumują się waniliowym lub anyżkowym aromatem do ciast.

Sport

Psotne wróżki sportsmenki notorycznie wyciągają z dezodorantów typu roll-on kulki i grają nimi w piłkę nożną, migdałów używają do gry w rugby, a wkładów do długopisów po to, by urządzać zawody w skoku o tyczce.

Wróżki ortograficzne

Urwisy ortograficzne odpowiadają za nasze przejęzyczenia. Uwielbiają zaczaić się za czyimś uchem, pod osłoną włosów, tak by nikt ich nie widział, i w odpowiednim momencie szepnąć słowo brzmiące bardzo podobnie do tego, które chciało się powiedzieć, ale znaczące coś zupełnie innego. Przykład? Proszę bardzo. Stoi sobie poważny, zamyślony pan w księgarni i zastanawia się, jaką by tu kupić książkę. Podchodzi do niego sprzedawca i uprzejmie pyta: – Co podać szanownemu panu?

A zamyślony pan na to: – Słowik ortograficzny.

W tej samej sekundzie orientuje się, co powiedział, rumieni się i szybko dodaje:

– To znaczy słownik, rzecz jasna, chciałem powiedzieć słownik.

Albo w telewizji: siedzi sobie spiker przed kamerą i zapowiada film animowany dla dzieci. I mówi tak:

– O 14.00 zapraszam wszystkie dzieci na film *Ekspres polany*. Oj, przepraszam bardzo za to drobne przejęzyczenie, cha, cha, chodzi oczywiście o film *Ekspres polarny*. A zaraz potem wyświetlimy film pod tytułem *Spotkanie na lotniku*. Oj, jeszcze raz serdecznie przepraszam, cha, cha, chciałem powiedzieć *Spotkanie na lotnisku*.

Wróżki lubią też inną zabawę: zaczajone za naszymi uszami, łaskoczą nas kosmykiem swych włosów, abyśmy wypowiadali całe zdania zgodnie z ich wolą. Każdy, kogo wróżka połaskocze za uchem, musi zrobić to, czego rzeczona wróżka od niego oczekuje. Najczęściej mówi coś, czego sam z siebie wcale by nie powiedział, i uszom własnym nie wierzy, co też za głupoty opowiada. A wróżkowa zabawa polega na tym, by w wypowiadanych przez ludzi zdaniach ukrywać nazwy przeróżnych przedmiotów. Jedna wróżka ukrywa, druga odgaduje. A potem odwrotnie. Aż im się nie znudzi. Przykład? Proszę bardzo. Siedzą sobie czterej pasażerowie w pociągu. Nagle odrywają wzrok od okna i zaczynają taką rozmowę:

– Po grypie przeważnie mam gorszą kondycję – mówi pierwszy.

A drugi na to ni w pięć, ni w dziewięć:

– Do północy na montera musiałem czekać.

– Z kwiatów najbardziej lubię róże i goździki – wtrąca trzeci.

A czwarty na to:

– Uwaga! Cicho sza! Franciszek nadchodzi.

– Walentyno, moja koszula jest strasznie pomięta – dodaje pierwszy.

A Walentyna odpowiedziała, że jeśli dzieci płaczą, Bernadeta je uspokoi.

– W drodze na szczyt Jan mijał stada owiec – stwierdza trzeci.

A potem pasażerowie milkną zawstydzeni i wbijają wzrok w gazety. A wróżki śmieją się, bo odgadły wszystkie siedem nazw przypraw, które ich koleżanki poukrywały w zdaniach. A wy potraficie je odnaleźć?

Spotkania wróżek

Choć znaczną część życia spędzają samotnie, to jednak od czasu do czasu się spotykają –
najczęściej na różnych imprezach i uroczystościach oraz żeby poplotkować.

W oficjalnym wróżkowym kalendarzu ważne miejsce zajmują cztery daty: równonoc wiosenna i jesienna oraz przesilenie letnie i zimowe – ujmując sprawę w naszych ludzkich kategoriach, w tych czterech przypadkach mamy do czynienia z czymś w rodzaju świąt państwowych. Z ważnym zastrzeżeniem, że to tylko COŚ W RODZAJU świąt państwowych, ponieważ wróżki nie znają pojęcia „państwo". Wiedzą, co to las i łąka, jezioro i morze, chmury i niebo, ale państwo? Granice? Ciężka sprawa.

Równonoc

Równonoc, znana także jako zrównanie dnia z nocą, to wyjątkowy czas, kiedy dzień i noc przestają się kłócić o godziny i podkradać je sobie nawzajem. Dzielą się nimi po równo – każde z nich zabiera 12 godzin z doby. Równonoc przypada w nocy z 20 na 21 marca oraz z 22 na 23 września. W marcu w tym właśnie dniu wróżki rozpoczynają sezon układania letnich piosenek, a we wrześniu spotykają się, by zaprezentować to, nad czym pracowały przez pół roku. Cieszą się także z tego, że dzień i noc wreszcie się pogodziły. Stąd właśnie inna nazwa tych dni: Wiosenny (Jesienny) Dzień Zgody.

Na wiosenne spotkanie przygotowują dania, które wyostrzają wrażliwość na szmery i szelesty świata, a na jesienne każda przynosi to, co najbardziej smakowało jej w ostatnich kilku miesiącach. Wiosną raczą się także napojami, które mają nieocenimy wpływ na struny głosowe – dzięki nim głosy wróżek stają się czyste i srebrzyste.

Przesilenie

Przesilenie również wypada dwa razy w roku – latem i zimą. Letnie obchodzi się w nocy z 21 na 22 czerwca – wtedy właśnie mamy najdłuższy dzień i najkrótszą noc w roku, a zimowe z 21 na 22 grudnia – wtedy noc jest najdłuższa, a dzień najkrótszy. W czerwcu wróżki świętują początek lata, a w grudniu cieszą się, że wreszcie od jutra zacznie przybywać dnia.

Starsze wróżki traktują te święta bardzo poważnie. Młodsze, które mają nieco swobodniejszy stosunek do tradycji, zimowe przesilenie nazywają Dniem Śpiocha, a letnie – Dniem Pracusia. W zimową noc 21 grudnia zakradają się do fabryk, w których powstają szaliki i czapki, odnajdują magazyn rękawiczek i wślizgują się do środka – po pięć do każdej rękawiczki. Każda z nich zasypia, jak w śpiworze, w jednym z palców, wyściełanym w środku miękkim futerkiem. Przed snem opowiadają sobie różne prawdziwe i wymyślone historie o zimie, śniegu, złych wiedźmach, które zamiast serc mają zamrażarki,

Wróżki nie przepadają za kawą, dlatego podczas spotkań i pogaduszek nie raczą się nią zbyt często. Kawowych ziaren używają za to do zatykania dziur w niebie, które zostają po deszczu meteorytów. W przeciwieństwie do kawy bardzo lubią herbatę. Kto choć raz skosztował herbaty zaparzonej przez wróżkę, każdą inną uzna za żałosną lurę.

a także o ciepłych kołdrach i butach, które nigdy nie przemakają, więc można w nich chodzić nawet po największych kałużach. Jak mówią, Dzień Śpiocha można uczcić tylko i wyłącznie spaniem.

Latem, kiedy w czerwcu nadchodzi Dzień Pracusia, przekorne młode wróżki świętują, zasypiając wśród płatków kwiatów, bo, jak twierdzą, najlepszym sposobem na uczczenie Dnia Pracusia jest przespanie go.

Spadające gwiazdy

Wróżki uwielbiają spadające gwiazdy, a najłatwiej o nie, kiedy nadciąga deszcz meteorów. Spotykają się w odludnych miejscach, z dala od rozpraszających miejskich świateł, by razem obserwować to piękne zjawisko. Niektóre leżą z rękami pod głową i tylko patrzą, jak granatowe niebo usiane złocistymi gwiazdami raz po raz przecinają srebrne smużki światła. Inne bawią się: wzlatują wysoko pod niebo, by uciekać przed spadającymi gwiazdami. Każda ma ze sobą gwiezdny parasol w kolorze nieba, na wypadek gdyby gwiazda była szybsza – wiadomo, nikt nie lubi oberwać w głowę. Jeszcze inne uważnie obserwują, gdzie spadają gwiazdy, i zbierają je do brylantowych słoików. Po co wróżkom gwiazdy, które spadły

Najpopularniejsze wśród wróżek deszcze meteorytów to:
- *Kwadrantydy (ok. 3 stycznia)*
- *Eta Akwarydy (ok. 5 maja)*
- *Perseidy (ok. 13 sierpnia)*
- *Leonidy (ok. 17 listopada)*
- *Geminidy (ok. 13 grudnia).*
Wtedy najłatwiej podpatrzyć wróżki.

z nieba? Część z nich przydaje się do sporządzania magicznych mikstur, a część, umieszczona w rubinowych, szafirowych i szmaragdowych lampionach, służy jako oświetlenie. Wróżki używają spadających gwiazd na co dzień, gdy czytają albo pracują (w brylantowym kloszu), albo od święta, kiedy chcą przystroić dom lub leśną polanę kolorowymi światełkami (w rubinowych, szafirowych i szmaragdowych kloszach). Jak łatwo się domyślić, wróżki nie potrzebują prądu.

Dzień Wróżki

Jakiś czas temu wróżka Ramonka zaproponowała, zapewne pod wpływem obserwacji ludzkiego świata i panujących w nim mód, by zacząć obchodzić Dzień Wróżki. Była tak zachwycona swoim pomysłem, że opowiadała o nim każdemu, kogo spotkała. Wszyscy uprzejmie kiwali głowami, mówili coś w rodzaju:
– O, co za ciekawy pomysł! A potem szli w swoją stronę. Tylko starsze wróżki patrzyły na siebie zdegustowane i pukały się w czoło. Po co nam jakiś Dzień Wróżki? Przecież każdy dzień jest nasz – tłumaczyły.
– Codziennie dzieje się coś przyjemnego, codziennie możemy się bawić i robić, co się nam podoba. Dzień Wróżki jest codziennie! Ramonka nie dawała jednak za wygraną i koniec końców stanęło na tym, że kto ma ochotę, może przyłączyć się do obchodów Wyjątkowego Dnia Wróżki, który każdego roku wypada w innym terminie, zawsze ma inny przebieg i organizowany jest gdzie indziej. Aby dzień był naprawdę wyjątkowy, wróżki robią coś, na co przez resztę roku nigdy by sobie nie pozwoliły. Dobre wróżki urządzają na przykład konkurs plucia na odległość i wymyślania ohydnych wyrazów. Złe zmieniają się nie do poznania i godzinami kołyszą do snu motyle, które przysiadły na kwiatach, opowiadają pisklętom bajki, a wieczorem udają się do łąkowej filharmonii na koncert skrzypcowy w wykonaniu kwartetu świerszczy.

Czy wróżki się zakochują?

Wróżki kochają kochać i kochają być kochane. Kochane z pewnością są, bo któż nie kocha dobrych wróżek,
ale były kiedyś takie smutne czasy, kiedy nie mogły sobie pozwolić na miłość. Dlaczego?
Wiąże się to z pewną historią sprzed wielu, wielu lat. Długo trzymały ją w tajemnicy,
a i teraz bardzo rzadko wracają do niej wspomnieniami.

Wróżki, elfy i róże

Bardzo dawno temu, kiedy nie było jeszcze ani ludzi, ani miast, ani lalek Barbie, wróżki mieszkały w lasach, gdzie dbały o rośliny, zwierzęta i ukryte w gęstwinie źródła. Były szczęśliwe, radosne i beztroskie jak prawdziwe córki łąki i nieba. Do czasu, gdy pewien czarnoksiężnik o nieznanym imieniu, w opowieściach wróżek i elfów występujący jako Grubosz, zapragnął poślubić którąś z nich.

Jak wiadomo, wszystkie wróżki są piękne, a do tego każda jest inna. Czarnoksiężnik miał duży problem z wyborem najpiękniejszej. Po wielu latach poszukiwań wreszcie udało się – odnalazł tę jedyną. Zauroczyło go jej spojrzenie, kolor włosów, uśmiech, brzmienie głosu, sposób, w jaki spacerowała po ogrodzie pomiędzy krzewami bzów i jaśminów. Zakochał się w niej bez pamięci i zapragnął, by odwzajemniła to uczucie, chociaż wiedział dobrze, że to niemożliwe. No cóż, wtedy jeszcze wróżki nie miały pojęcia, co to jest miłość. Czarnoksiężnik postanowił to zmienić. Musiał użyć prawie całej swej mocy, ale udało mu się zaczarować wróżki, które od tej pory umiały już kochać – w jednej chwili otworzył się przed nimi nowy świat, znacznie większy i bogatszy od tego dookoła, a jednak ukryty głęboko w małym sercu. Szczęśliwy Grubosz udał się do swojej wybranki, by poprosić ją o rękę, ale spotkał go zawód. Spóźnił się! Wróżka zdążyła już zakochać się w kwiatach, łące, słońcu, kroplach wody rozpryskujących się nad brzegiem strumienia, śpiewie ptaków, pszczołach, liściach drzew, mchu – we wszystkim, na co tylko spojrzała, zakochiwała się od pierwszego wejrzenia. Rozwścieczony mag, który pragnął mieć miłość wróżki na własność, rzucił wtedy okrutną klątwę: jeśli kiedykolwiek jakakolwiek wróżka zakocha się w czymkolwiek, co nie będzie rośliną czy zwierzęciem, będzie nieszczęśliwa. Tak też się stało z pierwszą zakochaną wróżką. Następnego dnia nad wodospadem spotkała pięknego elfa o szafirowych oczach, z przezroczystymi niebieskimi skrzydłami i błękitnymi lokami opadającymi na ramiona i czoło. Pokochała go jak wszystko, co obdarzyła miłością do tej pory – szczerze, mocno i bezgranicznie. A elf, który umiał kochać tylko samego siebie, poudawał troszkę, że interesuje się wróżką, potem namówił ją, by zdradziła mu kilka ważnych zaklęć, a w końcu odleciał, żeby zawrócić w głowie róży – wybranej tamtego lata miss kwiatów ogrodowych. Zrozpaczona wróżka poczuła w sercu ukłucie – jak od maleńkiego kolca. Wkrótce zasnęła na wieki, a wtedy łodygi wszystkich róż pokryły się kolcami, aby już nigdy żaden elf się do nich nie zbliżył.

Różany deszcz

Wiele lat później jedna z wróżek opowiedziała tę historię czarodziejowi, którego spotkała w jakiejś małej mieścinie na końcu świata. Czarodziej zmartwił się, zadumał, ale na szczęście po chwili coś mu przyszło do głowy i nachyliwszy się, zaczął szeptać wróżce do ucha.

Następnego dnia poszli do drogerii i kupili cały zapas wody różanej, jaki sprzedawca miał w magazynie. Nie było tego dużo, ale czarodziej uznał, że wystarczy. Potem kazał wróżce zatkać palcami uszy, wymówił zaklęcie, a woda różana we wszystkich flakonikach nabrała magicznej mocy.

– I co teraz? – spytała wróżka.

– Teraz musimy zaczekać na deszcz. Kiedy przestanie padać, rozlejemy różaną wodę na łące.

– I to wszystko?

– Różana woda wyparuje, a chmury i deszcz zaniosą ją nawet w najdalsze zakątki Ziemi, wszędzie, gdzie rosną róże. A kiedy zaczarowana woda spadnie z deszczem na różane ogrody, pryśnie zaklęcie rzucone na wróżki i elfy.

Gdzie mieszkają wróżki?

Wiele wróżek mieszka w bajkach – w pięknych pałacach, które same sobie stwarzają za pomocą czarów
i magicznej różdżki. Wróżki zamieszkujące bajki są raczej nieśmiałe i niezbyt skore do kontaktu z ludźmi.
Najchętniej udają, że ich nie ma. Mają papierowe sukienki, więc muszą uważać, żeby ich nie podrzeć.
Robią, co mogą, by wszyscy nabrali przekonania, że poza tym, co opisano w bajce,
niczym więcej się nie zajmują. Ale to tylko pozory.

Papierowe wróżki

Jeżeli ktoś ma w domu książkę z bajkami o wróżkach, powinien wiedzieć, że nie wolno jej stawiać w byle jakim miejscu. Z książkami na półce regału tak to już jest, że opisane w nich postaci mogą przechodzić z jednej do drugiej. Wróżki nie lubią sąsiadować z powieściami kryminalnymi, wojennymi i horrorami. Nie lubią mieć pod bokiem także podręczników do matematyki, fizyki i chemii – zwłaszcza do chemii, bo w nich co chwila coś wybucha i wróżki nie mogą z tego powodu spać spokojnie. Kto chce zrobić papierowym wróżkom przyjemność, niech ustawi z jednej strony atlas kwiatów, a z drugiej książkę o miłości, może być nawet z nieszczęśliwym zakończeniem – wróżki i tak zmienią je na radosne, nie wyobrażają sobie bowiem świata, w którym miłość przegrywa. Inne lubiane przez nie sąsiedztwo to: książki kucharskie (papierowe wróżki uwielbiają łazanki), poradniki kosmetyczne, atlasy nieba, tomiki wierszy, a także encyklopedie, książki telefoniczne i komiksy.

Wiersze powinny być rymowane, ale należy zachować ostrożność, bo papierowe wróżki nie cierpią tandety, napuszonych epopei i rymów częstochowskich. Jeśli muszą mieszkać koło takiej „poezji", strasznie się wściekają – to jedyny przypadek, kiedy ponoszą je nerwy. Tupią wtedy ze złości, aż regał się trzęsie, a ze słów w książkach wylatują litery. Szczyt marzeń każdej papierowej wróżki to jednak książka telefoniczna. Wróżki zamykają oczy i dotykają różdżką wydrukowanych w nich numerów telefonów, a kiedy to robią, słyszą wszystko, co dzieje się w jakimś odległym domu. A największą przyjemność sprawia im wsłuchiwanie się w kilkadziesiąt albo i nawet kilkaset rozmów jednocześnie, tym bardziej że potrafią słuchać wszystkich naraz.

A encyklopedie?

Encyklopedie też są świetne! Wróżki wskakują do nich i podróżują sobie po całym świecie i po całej historii, poznają różnych ciekawych ludzi – często nawet takich, którzy żyli bardzo dawno temu, na przykład starożytnych greckich filozofów.

Na zakończenie opowieści o papierowych wróżkach należy jeszcze dodać, że bardzo ważne jest dbanie o porządek w bibliotece, aby obok zbioru bajek o wróżkach, z prawej i z lewej strony, stały zawsze te same książki. Przestawianie ich grozi tym, że wróżka, która wybrała się na wycieczkę do innej książki, nie może znaleźć drogi do domu (czyli do swojej książki) i błąka się po obcych opowieściach, w których nie ma dla niej miejsca. W świecie papierowych wróżek jest tylko jedno straszniejsze wydarzenie – kiedy ktoś pożyczy książkę, do której wróżka na chwilkę wskoczyła. Chce wrócić do swojej bajki, a tu nie dość, że nie ma jej w pobliżu, to w dodatku na regale w obcym domu tłoczą się same obce historie. Kiedy papierowe wróżki wyobrażą sobie taką sytuację, wstrząsa nimi dreszcz i mówią do siebie szeptem:

– Straszne, straszne, straszne, co jest rodzajem zaklęcia mającego zabezpieczyć przed taką ewentualnością.

Miłośniczki bibelotów

Wróżki domowe, wygodnickie i zasiedziałe u kogoś od lat, uwielbiają półki i półeczki z bibelotami, zastawione kompletnie bezużytecznymi fajansowymi kotami i pasterkami, szklanymi wazonikami, grzybkami albo rybkami, bukietami zasuszonych traw i kwiatów, kolorowymi guzikami, drewnianymi malowanymi pieskami, pamiątkami z gór i znad morza, zdjęciami rodziny i przyjaciół, pocztówkami z wakacji, kolorowymi koralikami, plastikowymi bransoletkami i odpustowymi pierścionkami, małymi kamykami, muszelkami znad Adriatyku i wieloma innymi równie cudownymi rzeczami. Uwielbiają w nich mieszkać, a zwłaszcza w dużych muszlach znad ciepłych mórz i w fajansowych pasterkach grających na flecie, trzymających w ręku różę, zapatrzonych w dal, rozmarzonych, śniących na jawie o pięknym pastuszku pasącym gdzieś w pobliżu gęsi.

Wróżki dobrych snów

Kiedy rano wszyscy wstaną z łóżek, wróżki dobrych snów zasypiają w dużych i puszystych poduszkach, wypełnionych prawdziwym gęsim puchem. Jeśli istnieje choćby cień podejrzenia, że w pobliżu jest wróżka, lepiej uważać, kładąc się spać, żeby nie zrobić jej krzywdy. Wróżki wprawdzie wstają wieczorem, by przez całą noc roznosić dobre sny, ale zawsze przecież może się zdarzyć, że któraś z nich zaśpi… Jak poznać, że wróżka jest w pobliżu? Dwa najwyraźniejsze ślady jej obecności to dobry humor o poranku i wspomnienie miłego snu.

Ktoś kiedyś zapytał wróżki dobrych snów, czy dobrze sypiają i kto im zsyła dobre sny. Odpowiedziały, że nigdy do końca nie są pewne, kiedy śpią, a kiedy nie, w związku z czym cały czas zachowują się tak samo zwariowanie. Nie bardzo wiedzą, jak odróżnić ludzki świat od świata sennych marzeń, skoro oba są tak samo realne. Część wróżek upiera się nawet przy tym, że ludzie im się tylko śnią i tak naprawdę ich nie ma.

Podróże w życiu wróżek

Jedna ze spisanych przez wróżkologów legend mówi, że wróżki wciąż na nowo pojawiają się na Ziemi i znikają. Przybywając tutaj, opuszczają inny świat, a opuszczając nasz, pojawiają się gdzieś indziej. Podróżowanie jest dla nich tak ważne jak dla nas oddychanie.

Dwa kółka pod sufitem

Podobno wróżka, która przez dłuższy czas przebywa w tym samym miejscu, zamienia się w mały kamyk, bryłkę złota albo garść płatków margerytki. Podkreślmy – podobno, bo to informacja zasłyszana od pewnego wróżkologa, znanego z tego, że od czasu do czasu lubi zmyślać. Niektóre wróżki – to już wiemy na pewno – należące do tych ruchliwych i niespokojnych, budzą się w nocy co kilka godzin, by trochę sobie polatać pod sufitem największej komnaty w pałacu. Zataczają dwa albo trzy kółka, po czym wracają do łóżek.

Wróżki towarzyskie

Wróżki podróżują także dlatego, że każda z nich chciałaby poznać osobiście wszystkie inne wróżki. Śmiałe wyzwanie! Latają więc po świecie w swoich karocach i innych pojazdach, spotykają się, popijają białą herbatę z Himalajów, chrupią cynamonowe ciasteczka, pogryzają banany i daktyle, i czują się szczęśliwe. Opowiadają sobie historie, które znają wprawdzie od lat, ale zawsze to przyjemniej usłyszeć je na własne uszy od wróżki, która jest bohaterką opowiadania.

Turystyka

Podróżowanie w celach turystycznych jest wróżkom zupełnie obce. Do tego stopnia, że pojęcie „turystyka" nie istnieje w ich języku – i trudno im wytłumaczyć, dlaczego ludzie, odwiedzając z zapałem różne miejsca, oglądają stare budynki albo leniuchują nad morzem. Wróżki nie budują kamiennych pałaców i zamków. Stwarzają je magicznymi zaklęciami i po prostu w nich mieszkają. A gdy mają ochotę na przeprowadzkę, wystarczą dwa machnięcia różdżką i dotychczasowa siedziba znika. Nie rozumieją, po co miałyby zostawiać opustoszałe pałace. Dlatego nie mają zabytków. A ludzkie budowle niespecjalnie je interesują.

Wartka rzeka

Popularnym celem podróży wróżek są strumienie i rzeki – te wędrówki są dla nich bardzo ważne i bardzo miłe. Co jakiś czas kilkanaście albo kilkadziesiąt wróżek gromadzi się nad jakimś brzegiem – siedzą i patrzą w wodę. Co robią? Mniej więcej to samo, co ludzie w kinie: ludzie chodzą do kina po to by oglądać filmy, a wróżki mogą godzinami obserwować płynącą wodę. Niektóre strumienie cieszą się większą popularnością, inne mniejszą, bo – jak mówią wróżki – w niektórych woda płynie ciekawiej. Najbardziej wartką akcję mają górskie strumienie, gdzie woda się pieni i przelewa po kamieniach – to prawdziwe kino akcji. Na równinach, pośród zielonych łąk, lasów i pagórków, płyną skryte wśród wysokich traw romanse i rzeki miłości. Najgorsze są małe jeziorka ze stojącą wodą. Zdegustowane wróżki siedzą na drewnianych pomostach, patrzą na nieruchomą taflę i narzekają: – Nuda. Nic się nie dzieje.

Z drzewami jest podobnie jak z wodą. Wróżki z przyjemnością spotykają się, aby posłuchać szumiącego wśród liści wiatru. Jak twierdzą, niektóre drzewa szumią pięknie, a inne tylko ładnie. Największą popularnością cieszą się te, w których koronach wiejący w południowej Europie wiatr znad Sahary opowiada o gorącym piasku, kolorowych karawanach kupców wiozących drogocenne towary, marokańskich miastach, egipskich piramidach i Tunezyjczykach w turbanach na głowach, popijających słodką herbatę w chłodnym cieniu kawiarni.

A wiatr, największy podróżnik pod słońcem, zawsze cieszy się, kiedy może zaśpiewać wróżkom swoją nową pieśń o bezkresnych przestrzeniach nieba, pod którym mieszka.

Pojazdy wróżek

Wróżki podróżują, to nie ulega wątpliwości. Ale w jaki sposób? Chodzą piechotą, latają samolotami, jeżdżą pociągami? A może, rozpostarłszy ramiona, szybują w powietrzu?

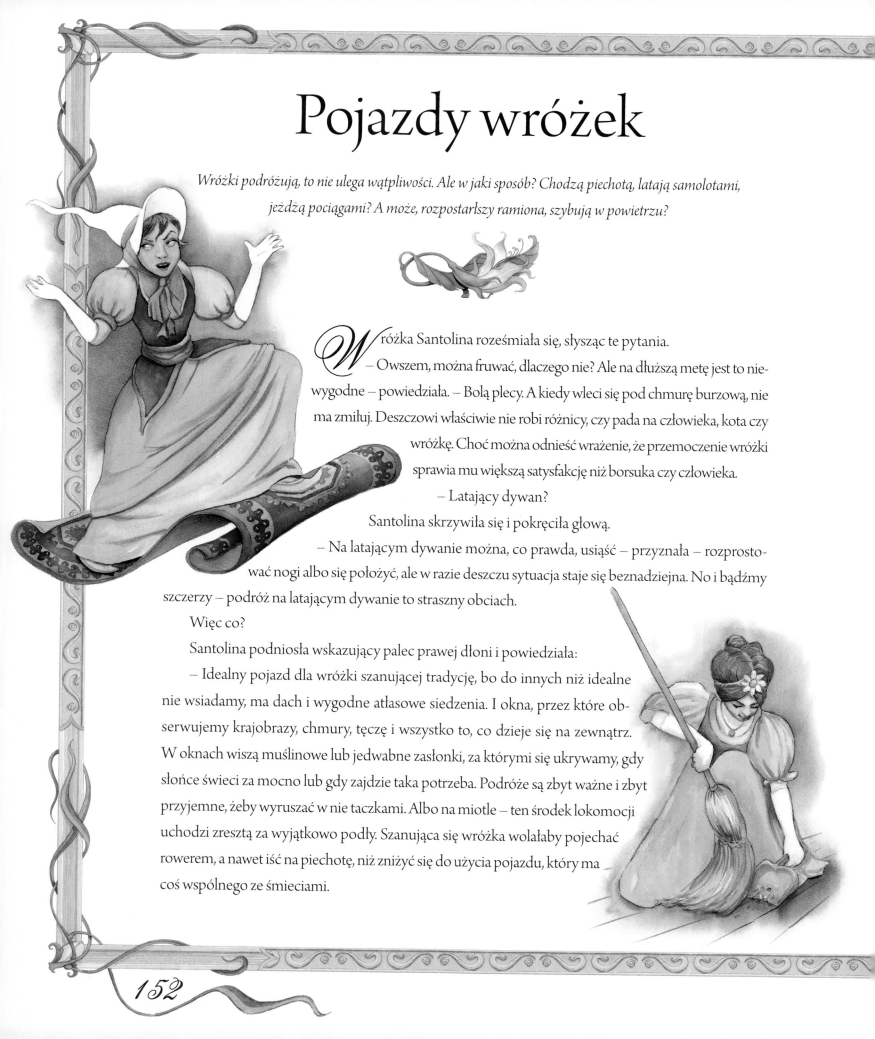

Wróżka Santolina roześmiała się, słysząc te pytania.

– Owszem, można fruwać, dlaczego nie? Ale na dłuższą metę jest to niewygodne – powiedziała. – Bolą plecy. A kiedy wleci się pod chmurę burzową, nie ma zmiłuj. Deszczowi właściwie nie robi różnicy, czy pada na człowieka, kota czy wróżkę. Choć można odnieść wrażenie, że przemoczenie wróżki sprawia mu większą satysfakcję niż borsuka czy człowieka.

– Latający dywan?

Santolina skrzywiła się i pokręciła głową.

– Na latającym dywanie można, co prawda, usiąść – przyznała – rozprostować nogi albo się położyć, ale w razie deszczu sytuacja staje się beznadziejna. No i bądźmy szczerzy – podróż na latającym dywanie to straszny obciach.

Więc co?

Santolina podniosła wskazujący palec prawej dłoni i powiedziała:

– Idealny pojazd dla wróżki szanującej tradycję, bo do innych niż idealne nie wsiadamy, ma dach i wygodne atłasowe siedzenia. I okna, przez które obserwujemy krajobrazy, chmury, tęczę i wszystko to, co dzieje się na zewnątrz. W oknach wiszą muślinowe lub jedwabne zasłonki, za którymi się ukrywamy, gdy słońce świeci za mocno lub gdy zajdzie taka potrzeba. Podróże są zbyt ważne i zbyt przyjemne, żeby wyruszać w nie taczkami. Albo na miotle – ten środek lokomocji uchodzi zresztą za wyjątkowo podły. Szanująca się wróżka wolałaby pojechać rowerem, a nawet iść na piechotę, niż zniżyć się do użycia pojazdu, który ma coś wspólnego ze śmieciami.

Historia wróżkowej motoryzacji

Od wieków typowymi środkami transportu wykorzystywanymi przez wróżki są karoce. W tych archaicznych z naszego punktu widzenia pojazdach, lśniących od złota, zdobionych perłami, koralami, brylantami, szmaragdami i rubinami, z wielkimi diamentowymi kołami, wróżki podróżują najczęściej. Mkną pod niebem, ciągnięte przez skrzydlate konie, dumne pawie albo królewskie lwy. Kto powozi? Zazwyczaj kot w butach, bo, zdaniem wróżek, to idealny stangret. Koty słyną z miękkich ruchów i wyczucia przestrzeni, a to zapewnia komfort jazdy, podobnie jak mistrzowskie balansowanie ogonem na zakrętach.

Nie zawsze jednak wróżki jeździły karetami. Nim się do nich przesiadły, szczególną sympatią darzyły rydwany – ale było to bardzo, bardzo, bardzo dawno temu. Nad ziemią latało wówczas mnóstwo ognistych siedmiogłowych smoków, które znakomicie nadawały się do wróżkowych zaprzęgów. Podobno jednak nie bardzo im to odpowiadało – wolały spędzać czas na porywaniu księżniczek i walkach z rycerzami. Pewnego dnia po prostu gdzieś się wyniosły.

Ostatnia rewolucja w dziedzinie wróżkowego transportu dokonała się całkiem niedawno, bo w XX wieku, za sprawą nowoczesnych wróżek miejskich. Wróżki te zachłysnęły się osiągnięciami motoryzacji i, jak same mówią, „popylają" (przepraszamy za wyrażenie, ale to cytat) motorami i samochodami najnowszych marek. Rozparte w czerwonych ferrari albo zielonych i żółtych lamborghini, usadowione wygodnie na goldwingach albo schylone nad kierownicą ścigacza mkną przed siebie, gdzie je oczy poniosą, a najczęściej nad rzekę albo do lasu. Wróżki tradycjonalistki są oburzone szalonymi wyczynami swoich sióstr. Nie pamiętają lub raczej nie chcą pamiętać, jaki skandal wśród użytkowniczek rydwanów wywołał widok pierwszej wróżki w karecie. To dopiero była awantura!

Samochody, karety, motocykle – to dla wróżek to samo, co buty. My wyczuwamy zasadniczą różnicę, ale wróżka, jeśli zechce, tak zaczaruje buty, że same ją poniosą tam, gdzie się jej zamarzy. Takie zaczarowane buty to samobuty. Znużone podróżą wróżki zabawiają się czasem w taki oto sposób: rzucają czar, który pozwala butom udać się w wybranym przez nie kierunku. A wróżka z zainteresowaniem obserwuje, dokąd to buty ją zaniosą, i zastanawia się, dlaczego akurat tam. Nie ma, niestety, czaru, który pozwalałby butom mówić.

Babie lato

Tak jak sto lat temu i dwieście lat temu, i trzysta lat temu, wróżki leśne zamieniają różne dziwne rzeczy w luksusowe karety (z łazienką, toaletą, balkonikiem, ogródkiem warzywnym itd.). Świerszcze przemieniają w siwobłękitne rumaki z nieprawdopodobnie długimi srebrzysto-białymi grzywami. Podróżują najczęściej pod koniec września i w październiku. Łatwo wtedy poznać, jaką trasą jechały: cieniutkie, jedwabiste włosy z końskich grzyw powiewają na wietrze lub oplatają się wokół przydrożnych krzewów i traw, tworząc misterne jak pajęczyny witraże, nazywane przez niektórych babim latem.

Czy wróżki mają przyjaciółki?

Wróżki rzadko przyjaźnią się z innymi wróżkami, choć spędzają razem wiele czasu.
Wolą go jednak przeznaczać na zabawy, bale i inne wesołe rzeczy.
Są siostrami, bardzo się kochają i świetnie rozumieją, ale nie zwierzają się sobie nawzajem i nie żalą.
Gdy przytrafi im się coś smutnego albo mają jakiś kłopot,
natychmiast pędzą do swoich przyjaciółek.

Dobruszki

Kim są przyjaciółki wróżek? Komu wróżki ufają na tyle, by zwierzać się z najskrytszych sekretów? Te tajemnicze istoty, zwane niekiedy dobruszkami albo dobrotkami, rzadziej dobromirami, nigdy nie mówią nic o sobie. Tym bardziej nie mówią o wróżkach, są bowiem niesłychanie dyskretne. Skąd pochodzą? Podobno z jakichś starych gór gdzieś w środku Europy. Jak wyglądają? Najnormalniej w świecie, jak czyjaś ciocia, mama, babcia, starsza siostra, pani w przedszkolu, wychowawczyni w szkole! Bardzo lubią się śmiać i uśmiechać, a najbardziej – rozweselać smutne dzieci i dorosłych. Czasami udaje im się rozśmieszyć zamyślonego kota lub psa, ale jest to bardzo trudne zadanie, z którym znacznie lepiej radzą sobie wróżki. Wiosną dobruszki opowiadają owocowym drzewom rozmaite zabawne historie, a drzewa, których gałęzie pełne są białych i różowych kwiatów, trzęsą się ze śmiechu i sad wypełnia się opadającymi płatkami. Przepadają za kwiatami: uwielbiają ich zapach i mogłyby całymi godzinami troszczyć się o nie – mówiąc to, mamy na myśli kwiaty ogrodowe, nie doniczkowe. Jeśli znajdziecie się w domu wypełnionym cudownym zapachem kwiatów, a w dodatku będziecie mieć wrażenie, że są one wszędzie, nawet na obrazach na ścianie, będzie to oznaczało, że najprawdopodobniej jesteście w mieszkaniu dobruszki. Jeśli jednak zapytacie gospodynię, czy jest przyjaciółką wróżek, z pewnością zaprzeczy. I uśmiechnie się przy tym w taki sposób, że największemu twardzielowi serce roztopi się jak wosk i poczuje się tak, jakby nadszedł najszczęśliwszy dzień jego życia. A po chwili zaśnie. Kiedy się obudzi, będzie przekonany, że prowadził bardzo zajmującą konwersację na temat uprawy bylin i sadzenia cebulek kwiatowych.

Test stokrotkowy

Dobruszkę na pierwszy rzut oka można pomylić z czarownicą. Te ostatnie nauczyły się uśmiechać i robią to coraz lepiej, ale po każdym udawanym uśmiechu drapią się w prawe ucho i tupią dwa razy lewą nogą. Nie potrafią tego opanować. Używają też najnowszych kosmetyków, aby wyglądać choć trochę lepiej. Ale warto wiedzieć, że czarownice nie cierpią kwiatów, zresztą z wzajemnością. Chcąc więc sprawdzić, czy pani z trzeciego piętra nie jest przypadkiem czarownicą, wystarczy wręczyć jej choćby maleńką stokrotkę. Jeśli kwiatek natychmiast zwiędnie, a obdarowana sąsiadka zacznie kichać, prychać, sapać i drapać się, może to znaczyć tylko jedno: tę panią omijamy z daleka.

Na pomoc!

Wróżki przylatują do swoich przyjaciółek tylko wtedy, gdy mają poważne problemy albo są bardzo smutne. Wiedzą, że dobruszki wysłuchają ich zwierzeń, a potem szybko rozweselą jakąś opowieścią. Najczęściej wróżki przybywają niezapowiedziane, ale dobruszki zawsze przerywają swe zajęcia, by ich wysłuchać. Jeśli nie są same, przepraszają na chwilę swych gości i zamykają się z wróżkami w drugim pokoju, by nikt im nie przeszkadzał. Jeśli więc zobaczycie, że wasza ciocia czy babcia nagle wstaje od stołu, idzie do swojego pokoju i zamyka się w nim na kilka chwil lub godzin, nie pukajcie i nie wołajcie jej wtedy. Być może właśnie przyleciała jakaś zmartwiona wróżka, a wasza ciocia czy babcia jej pomaga?

Poradnik

Jak rozpoznać, że coś, co się zdarzyło, jest sprawką wróżki?

W czasach, gdy wróżki bezceremonialnie wtrącały się w ludzkie sprawy, pytanie o to, jak rozpoznać, że coś, co się zdarzyło, jest ich sprawką, nikomu nie przychodziło do głowy.

Próba wody

Bo czy mógł zadawać sobie takie pytanie ktoś, kto w nagrodę za poczęstowanie wodą wędrującej zakurzonym traktem staruszki zaczynał nagle pluć pieniędzmi, perłami albo płatkami róż? Oczywiście, że nie. Albo ktoś, kto za karę za niepoczęstowanie wodą wędrującej zakurzonym traktem staruszki zaczynał nagle wypluwać zęby, żaby i węże? Też nie. Wszyscy wiedzieli, że specjalistkami od takich efektów były wróżki.

W czasach, kiedy przyszła na świat Śpiąca Królewna, przy traktach i drogach stały tablice informacyjne z napisami, gdzie w pobliżu mieszka wróżka, na przykład dużymi literami było napisane: Cerinte – dobra wróżka zaprasza. Czynne: pn.-pt. 8.00-20.00, sob. 9.00-14.00, ndz. zamkn. Tylko 4 mile stąd. A poniżej mniejszymi: Za starym dębem w prawo, a potem w górę strumienia. Albo: Amanita, zła wróżka. Całodobowo. 3 mile, a poniżej: Lepiej trzymaj się z daleka.

Wybrane powiedzenia stosowane w dawnych czasach przez złe wróżki:
- *Wszędzie źle, ale u mnie najgorzej.*
- *Kto spyta, zabłądzi.*
- *Kto rano wstaje, ten szuka kłopotów.*
- *Z małej różdżki duży kłopot.*

Polowanie na wróżkę

W dawnych czasach ludzie bardziej się bali wędrownych wróżek niż leśnych rabusiów. Rabuś, owszem, okradł i pobił, ale tylko raz. Stratę tobołka można było przeboleć, wybite zęby wstawić, ale na tym nieprzyjemności się kończyły. Kto podpadł wędrownej wróżce, dostawał karę na całe życie. Stąd między innymi zamieszanie w nazewnictwie – dla wielu osób wróżka, czarownica, czarodziejka, wiedźma i jędza to jedno i to samo. Doszło nawet do tego, że w pewnym okresie ludzie zbierali się w grupy i kiedy zdybali wędrowną wróżkę albo czarownicę, spuszczali jej manto. Przy okazji obrywały też zwyczajne kobiety, które choć trochę przypominały wyglądem wróżki czy czarownice, czyli były albo bardzo ładne, albo strasznie szpetne.

Snujące się po traktach wędrowne wróżki sprawiły, że ludzie niechętnie podróżowali. Dopiero kiedy wróżki wycofały się z życia publicznego i z gościńców, na dobre rozkręciła się turystyka. Ludzie zaczęli budować zabytki, żeby inni je zwiedzali, konstruować samochody i samoloty, żeby szybciej i wygodniej się przemieszczać.

Ale wróćmy do tematu. Kiedyś z łatwością można było stwierdzić, że za jakimś czynem stoi wróżka. Te czasy nieodwołalnie minęły.

Weselszy świat

Dzisiaj wróżki najczęściej działają w ukryciu. Aranżują wydarzenia tak, by świat nagle stał się weselszy (albo smutniejszy). Jak rozpoznać, że za jakimś wydarzeniem stoi wróżka? Śladem jej interwencji może być na przykład to, że co najmniej kilka osób w otoczeniu wybrańca wróżki poczuło się lepiej. Bo dobry czar rzucony na kogoś promieniuje. Jeśli komuś wszystko się świetnie układa, ma, czego tylko dusza zapragnie, a do tego wspaniały humor, ale ludzie w jego najbliższym otoczeniu nie są zbyt szczęśliwi, to znaczy, że dobre wróżki już dawno nie odwiedzały tych okolic.

Biuro wróżek znalezionych

O tym, że w jakimś miejscu przebywała niedawno wróżka, świadczą przeróżne dziwne przedmioty pojawiające się niespodziewanie albo znikające w zaskakujący sposób. Na pewno czasem szukasz czegoś w swoim pokoju i nie możesz znaleźć, choć jesteś pewien, że powinno to leżeć na przykład w szufladzie. Ale nie leży i już! Niewykluczone, że wytłumaczeniem tego przykrego i zaskakującego faktu jest pojawienie się wróżki.

A czy zdarzyło się wam kiedyś znaleźć w domu jakiś dziwny przedmiot nienależący do nikogo z rodziny? Który w dodatku nie wiadomo, jak się tu znalazł? Także i w tym przypadku może to być pamiątka po wizycie wróżki. Kiedy wróżki pojawiają się w jakimś miejscu albo kiedy znikają, powietrze wokół nich wiruje przez krótką chwilę. I wtedy właśnie lżejsze przedmioty mogą zostać przez ten mały powietrzny wir porwane z miejsca, które wróżka opuszcza, i przeniesione tam, gdzie się zjawi. W lesie to żaden problem, ale w mieście – spory. Dlatego, jeśli wróżki mają zamiar pojawić się w mieście, najchętniej robią to w muzeach. Jest tam tyle dziwnych przedmiotów, poupychanych w wielu salach na wielu piętrach, że na jeden dodatkowy nikt nie zwróci uwagi. No, chyba że w gablocie, w której wyeksponowano strój starożytnego rzymskiego wojownika, pojawi się nagle plastikowa spinka do włosów, zegarek albo odtwarzacz mp3. Ale takie przypadki należą do rzadkości. I oczywiście wróżki pozostają poza wszelkimi podejrzeniami. Pracownicy muzeów na ogół zrzucają winę na szkolne wycieczki.

Jeśli w jakimś mieście nie ma muzeum, wróżki w ostateczności zadowalają się biurem rzeczy znalezionych albo przechowalnią bagażu na dworcu kolejowym.

Archeologia

Wróżki lubią wynajdywać w muzeach skarby, które archeolodzy, czyli historycy zajmujący się poszukiwaniem śladów dawnych ludzkich siedzib na całym świecie, odkopali tu i tam. Bawi je, kiedy czytają opis „sensacyjnego" znaleziska, wydrukowany na przyczepionej do gabloty karteczce: „Przedmioty wytworzone w starożytnym Rzymie, a znalezione w pobliżu pewnej małej wioski nad Bałtykiem". Świadczy to niezbicie o tym, że mieszkańcy tej małej wioski, a także wiosek okolicznych, prowadzili ożywioną wymianę handlową z odległym o tysiące kilometrów imperium cezara, że rzymscy kupcy przybywali tu ze swoimi towarami.

Tymczasem w większości przypadków wytłumaczenie takich znalezisk jest inne, a odpowiadają za nie wróżki. Chodzą po muzeach, oglądają gabloty i nagle wykrzykują:

– O tak, poznaję! Ta garść rzymskich monet, która ma świadczyć o pobycie na północy Europy kupców z Italii, to przecież moja sprawka! Dwa i pół tysiąca lat temu znikałam w pośpiechu z pewnego pałacu w Rzymie, bo musiałam natychmiast interweniować gdzieś na wybrzeżu Bałtyku w sprawie jakiegoś niesfornego trolla. Pamiętam, że otaczający mnie wir porwał wtedy ze stołu trochę antycznej gotówki i wyrzucił ją daleko, daleko, w chłodnym szwedzkim lesie.

Jak postępować, gdy spotka się wróżkę lub kogoś, kto może nią być?

*Spotkanie z wróżką, dobrą wróżką, może okazać się jedną z najszczęśliwszych chwil w życiu –
pod warunkiem że rozpozna się tę chwilę. Druga ważna rzecz: należy zachować takt i umiar. I dyskrecję.
Nie wiadomo, co ważniejsze. Wiele też zależy od tego, na jaką wróżkę się trafi – wrażliwą i nieśmiałą
czy energiczną i przebojową. Ta pierwsza może prysnąć jak bańka mydlana, jeśli przywitamy się z nią zbyt
wylewnie. Co strzeli do głowy energicznej i przebojowej, tego nie da się przewidzieć. Ale to są skrajności.
Zazwyczaj wróżka zachowuje się z godnością i zachowuje dystans – tak na wszelki wypadek.*

Portret pamięciowy

M nóstwo ludzi uważa, że nie ma nic łatwiejszego od rozpoznania wróżki. Wiadomo przecież, że wygląda miło i sympatycznie – jak wymarzona przyjaciółka, której można o wszystkim opowiedzieć, która wszystko zrozumie, lubi te same lody i sukienki w tych samych kolorach i na wszystko znajdzie radę. Na ilustracjach w książkach z bajkami wróżki mają zwiewne szaty, spiczaste czapki z welonami – wyglądają tak, jakby czas zatrzymał się dla nich w średniowieczu, czyli w odległych czasach, w których nie było jeszcze telefonów, samochodów i telewizji. Ani nawet rowerów. Czasami miewają skrzydła jak ważki albo motyle. Często jednak dobre wróżki ze starych bajek nie wyglądają wcale na wróżki. Przyjmują na przykład postać biednej, słabej starowinki, żeby sprawdzić, czy jesteśmy dobrzy czy źli, chętni do pomocy czy leniwi, nie lubią bowiem pomagać ludziom złym. Kiedy ktoś je nieodpowiednio potraktuje, może dostać prezent, który uprzykrzy mu resztę dni.

Tak właśnie najczęściej ludzie wyobrażają sobie wróżki. No cóż, tak naprawdę jednak, wróżki wyglądają trochę inaczej.

Instrukcja obsługi wróżki

Oto kilka informacji i rad, które przydadzą się przy spotkaniu z wróżką:

✴ Gdy spotka się wróżkę lub kogoś, kto może nią być, trzeba przede wszystkim powiedzieć „dzień dobry" i bez „dzień dobry" lepiej w ogóle nie rozpoczynać rozmowy.

✴ Należy pamiętać o tym, że prawdziwa wróżka nigdy nie zdradzi się z tym, że jest wróżką. Będzie podawała się za pielęgniarkę, bibliotekarkę, pilota wycieczek autokarowych, konduktorkę, przedszkolankę, bileterkę w kinie, treserkę lwów – za kogokolwiek, ale na pewno nie za wróżkę. Jeśli zatem spotka się kogoś, kto zacznie rozmowę od słów: „Cześć, jestem dobrą wróżką. Spełnię twoje trzy życzenia", można mieć pewność, że to oszustka. I uwaga: złe wróżki też nie afiszują się ze swoją wróżkowatością. Nie chodzi im przecież o to, żeby robić z siebie widowisko, tylko o działanie z zaskoczenia.

✳ Wróżki, nawet złe, nie przeklinają. W każdym razie nie przeklinają jakoś bardzo brzydko. Czasem, w wyjątkowo emocjonującej chwili, wyrwie się im na przykład „Do licha!" albo „A niech to!", albo „Motyla noga!", albo „Ty zasmarkany koci ogonie!" lub inny zwrot tego typu. Jeśli ktoś twierdzi, że jest wróżką, a używa brzydkich wyrazów, sprawa jest jasna – ten ktoś bezczelnie kłamie i prawdopodobnie nigdy nawet nie stał koło wróżki. Warto wiedzieć, że gdy wróżka zasyczy: „Ty zasmarkany koci ogonie!", to znaczy, że jest naprawdę zła i zapowiada się niezła awantura.

✳ Kiedy wróżka zorientuje się, że ktoś nadużył jej zaufania, potrafi cofnąć dobry czar i narobić kłopotów. A jak wróżka narobi kłopotów, to szkoda gadać. A jak szkoda gadać, to lepiej nie mówić.

✳ Wróżki nie wystawiają ludzi na próbę, nie nagradzają tych, którzy się im spodobają i nie karzą pozostałych. Owszem, kiedyś takie zachowanie było na porządku dziennym, ale obecnie jest surowo zakazane. Gdy spotkamy zatem kogoś, kto będzie usiłował przekonać nas, że jeżeli zrobimy coś dla niego, to nie pożałujemy, można, a nawet trzeba mieć się na baczności. To oszust. Najlepiej byłoby wtedy zawiadomić jakąś wróżkę, która przetrzepałaby mu skórę i przepędziła, gdzie pieprz rośnie, ale gdzie ją znaleźć?

✳ Gdy ni z tego, ni z owego pojawi się obok ciebie wróżka, i kiedy już nabierzesz przekonania, że to oryginał, a nie jakaś podróbka, nie zasypuj jej prośbami, życzeniami, pytaniami itd. Nie przybyła, by wysłuchiwać twojego narzekania, tylko aby pomóc ci coś zmienić w twoim życiu, w jakiejś konkretnej sprawie. Jakiej? Decyzję podjęła już dawno.

Kalafior?

A jak to wygląda z drugiej strony? Wśród wróżek funkcjonuje coś na kształt poradnika, ale nie w formie książki, tylko przekazywanego z ust do ust, zatytułowanego: *Jak postępować, spotykając człowieka lub kogoś, kto może nim być*. Zawarte w tytule sformułowanie „lub kogoś, kto może nim być" to nie żart ani przejęzyczenie. Nie chodzi o to, że wróżkom ludzie mylą się z wiewiórkami, choć trzeba przyznać, dla młodych wróżek rozpoznanie człowieka nie zawsze jest łatwe. Rzecz w tym, że na wróżki, zwłaszcza dobre, czyhają różne nieprzyjemne niespodzianki. Czasem złe wróżki, czarownice, czarnoksiężnicy lub inne wredne istoty podszywają się pod ludzi. Przybierają na przykład postać obdartej, zabłąkanej dziewczynki, która nie ma nikogo na świecie, a gdy dobra wróżka straci cały dzień, by pomóc fałszywej sierocie, pękają ze śmiechu. Uważają, że to świetny kawał.

Zazwyczaj wróżki bezbłędnie rozpoznają, kto jest kim w bajkowym świecie, czasem jednak się mylą – zwłaszcza te młodsze. Katalog istot, które niedoświadczona wróżka może wziąć za człowieka, nie jest na szczęście zbyt obszerny, ale za to chwilami dość dla ludzi zaskakujący. Pomylenie człowieka z pingwinem, małpą albo wieszakiem na ubrania w pewnych okolicznościach można uznać za zrozumiałe. Ale dlaczego mylimy się im ze ślimakami, takimi bez skorupek na grzbiecie? Albo z rabarbarem? Albo z kalafiorem? Niestety (albo na szczęście), wróżkowe skojarzenia trudno pojąć.

Na jednym z dorocznych spotkań młodych wróżek część z nich przygotowała przedstawienie teatralne. Wszystkim bardzo się podobało, bo było wesołe i pełne żartów z elfów – ich role grały zaczarowane na ten czas żaby. Boki można było zrywać. W sztuce tej występowali także ludzie, grani przez zaczarowane kalafiory. Śmiechu było co niemiara, bo kalafiory znakomicie wywiązywały się ze swojej roli. A do legendy przeszedł moment, kiedy na scenie pojawili się kosmici. Ich role powierzono zaczarowanym bakłażanom.

Jak sprawić,
by wróżka pospieszyła nam
z pomocą?

Niestety, nikt nie zna sprawdzonych i niezawodnych sposobów na przywołanie wróżki w chwili,
w której jej pomoc jest bardzo potrzebna. Wszyscy, którzy twierdzą inaczej, zmyślają. Dobre wróżki,
choć chętnie pomagają ludziom, nie pojawiają się na zawołanie. Takie już są.
Nie oznacza to jednak, że jesteśmy całkowicie bezradni.

Witamy dobre wróżki!

K iedy dzieje się coś niedobrego, można czekać
i mieć nadzieję, że w pobliżu znajdzie się
przez przypadek jakaś dobra wróżka, która zlituje się
i pomoże. Czasem tak bywa, ale tylko czasem.
Kto jednak nie lubi bezczynnie czekać, może
spróbować metody sprawdzonej przez wiele osób,
w tym przez autora tej książki. Metoda nie gwarantuje
wprawdzie, że wróżka się pojawi, ale znacznie
zwiększa na to szanse.

Ów sposób na przywołanie wróżki jest następujący:
zacznij opowiadać bajkę. Własną bajkę. Bajkę o sobie i o swoim życiu.
Najprawdopodobniej przechodząca obok wróżka przystanie i – choć spieszy się bardzo, bo ma do za-
łatwienia coś wyjątkowo ważnego – zaintrygowana zacznie słuchać. I tak spodoba się jej ta bajka, że będzie się chciała w niej znaleźć. A kiedy wróżka ma ochotę coś zrobić, nic jej nie powstrzyma. Więc

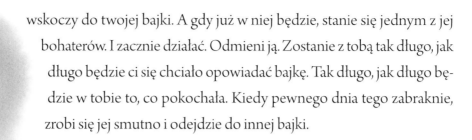

wskoczy do twojej bajki. A gdy już w niej będzie, stanie się jednym z jej bohaterów. I zacznie działać. Odmieni ją. Zostanie z tobą tak długo, jak długo będzie ci się chciało opowiadać bajkę. Tak długo, jak długo będzie w tobie to, co pokochała. Kiedy pewnego dnia tego zabraknie, zrobi się jej smutno i odejdzie do innej bajki.

Złym wróżkom dziękujemy

Pojawienie się dobrej wróżki to powód do radości, ale co zrobić, gdy zamiast niej pojawi się zła wróżka? Na pierwszy rzut oka trudno je rozróżnić, a trzeba działać błyskawicznie. Jak szybko odróżnić dobrą wróżkę od złej, która tylko udaje dobrą? Trudna sprawa – wróżka nie ma przecież legitymacji służbowej, w której byłoby wpisane: „zawód: dobra wróżka" albo „zawód: zła wróżka". Niektórzy twierdzą, że wystarczy kopnąć ją w kostkę. Zła natychmiast odda, popchnie, zruga i na dodatek jeszcze przyłoży przez plecy magiczną różdżką. I wszystko jasne. Jest jednak pewien problem: kopnięta w kostkę dobra wróżka co prawda nie odda, ale może się zdenerwować i zniknąć lub zamienić przeprowadzającego test osobnika w kopaczkę do spulchniania ziemi. Albo w koparkę.

Kopanie nie gwarantuje zatem powodzenia. Czy są jakieś inne metody? Niektórzy twierdzą, że wystarczy powiedzieć wróżce coś miłego i sympatycznego, uśmiechając się przy tym. Coś w rodzaju:

– Witaj, złocista wróżko, śliczna księżniczko, radosna jutrzenko, poranna roso, świeży pąku. Jak miło cię widzieć. Piękny dzień mamy dzisiaj, nieprawdaż? Prawie tak piękny jak ty i twoja nowa sukienka. Słońce tak cudownie lśni w twoich włosach, chmurki jak uśmiechy płyną spokojnie przez niebo, kwitną kwiaty, pachnie łąka. Z tobą świat jest cudowny!

Zła wróżka, usłyszawszy coś takiego, najprawdopodobniej zwymiotuje. Dobra uśmiechnie się i powie:

– Oho ho! Aleś się nagadał! Nie można było jakoś prościej? Miło cię widzieć. Cieszę się, że tu jestem.

I wszystko jasne.

Niektóre historyczne metody odróżniania wróżek dobrych od złych (nieskuteczne):
- *po zapachu*
- *po wyglądzie zębów*
- *po sposobie chodzenia*
- *po umiejętności pływania*
- *po fryzurze.*

Leksykon

Poczet wróżek

Wróżki można dzielić według dowolnych kryteriów: na dobre i złe, miejskie i leśne, wodne i lądowe, dzienne i nocne, wesołe i smutne, poważne i rozbrykane, ładne i brzydkie, mądre i mniej mądre – jak się komu podoba. Można je także podzielić na opisane i nieopisane – w bajkach, rzecz jasna. O wróżkach znanych z bajek i baśni wspominamy tu i tam na kartach tej książki. Poniżej przedstawiamy dokładniej kilka z nich.

Królowa Śniegu

Potem weszły do domku. Przez wysokie okienka, czerwone, żółte i niebieskie, dziwne światło wpadało do izdebki. Na stole w dużych koszach stały prześliczne wiśnie i staruszka pozwoliła Gerdzie jeść, ile tylko zechce.

Wiśnie były wyborne, a Gerda głodna, więc jadła, uśmiechając się z zadowolenia, gdy staruszka złotym grzebieniem czesała jej złote włosy. Czesała je długo, w dziwnym blasku czerwonych i niebieskich szybek, a Gerda zapomniała o Kaju, babce i rodzicach, bo grzebień był zaczarowany, staruszka zaś była wróżką.

W baśni *Królowa Śniegu* Hansa Christiana Andersena tytułowa bohaterka to najprawdopodobniej zła wróżka, jedna z tych, które uwielbiają mróz i lód. Wróżki takie jak ona całe życie spędzają samotnie, nie spotykają się z innymi wróżkami, nawet złymi. Mieszkają daleko za kołem podbiegunowym, a najchętniej na Antarktydzie oraz w pobliżu bieguna północnego. Czasami zdarza się, że dryfują na górach lodowych w stronę równika, jednak nigdy go nie przekraczają, wierzą bowiem, że równik jak laser przeciąłby je na pół.

W swoich pałacach, zbudowanych z brył lodowych wydobywanych z najgłębszych pokładów Antarktydy i Arktyki, nie mają ani jednego zegara. Zamiast nich na ścianach wiszą termometry. Złe wróżki lodowe kilka razy dziennie sprawdzają, czy wszystkie funkcjonują tak, jak trzeba. Podchodzą do każdego z osobna,

przyglądają mu się uważnie z prawej i lewej strony, delikatnie stukają paznokciem w zbiorniczek z rtęcią, a potem chuchają na niego – wtedy słupek rtęci, pokazujący na przykład -45°C, na chwilę spada do -110°C lub nawet -120°C.

Królowe Śniegu są bardzo silne i bardzo groźne. W pobliże ludzkich siedzib zapuszczają się tylko zimą, i to w dodatku wtedy, kiedy panuje siarczysty mróz. Łatwo je rozpoznać, ponieważ są bardzo piękne, a w ich spojrzeniu i brzmieniu głosu jest coś magicznego, przykuwającego uwagę, sprawiającego przyjemność, coś takiego, że chciałoby się wszystko rzucić i zostać z nimi na zawsze.

W baśni Andersena Królowa Śniegu porywa małego chłopca i więzi go w swoim polarnym pałacu. Kaja ratuje jego przyjaciółka, Gerda. Sposobem na uwolnienie od otępiającego zaklęcia jest miłość. Jako ciekawostkę można jeszcze przypomnieć, że w drodze do Kaja Gerda spotkała pewną egoistyczną wróżkę, która uwięziła ją na kilka miesięcy, traktując jak ulubionego pudelka albo kota.

Matka chrzestna Kopciuszka

Kopciuszek został sam w ciemnej izbie, wśród zrobionego przez siostry nieporządku.

– Ach, jak to miło jechać na bal w eleganckiej sukni.

Potem znaleźć się w wielkiej złotej sali i tańczyć w ramionach wytwornych młodzieńców do białego rana ... – rozmarzyła się biedna dziewczyna.

– Niedługo będziesz tańczyć – ozwał się wesoły głos.

– Kto tu jest? Nikogo nie widzę – przestraszyła się dziewczyna.

– To ja, twoja chrzestna matka, dobra wróżka – powiedział niespodziewany gość.

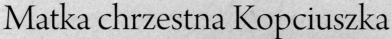

W bajce pod tytułem *Kopciuszek*, której autorem jest Charles Perrault, ważną rolę odgrywa niewymieniona z imienia wróżka. Niewykluczone, że chodzi tu o Diaskię, która w XV-XVIII wieku miała chatynkę w lasach Francji, najpierw w Owernii, a potem w Prowansji. Tak przynajmniej utrzymują inne wróżki, ale nie są tego pewne. Wiedzą o niej mniej więcej tyle, co my – że jest matką chrzestną głównej bohaterki. Nie ma w tym nic niezwykłego. W czasach, w których żył pan Perrault (czyli w XVII wieku), a także wiele lat wcześniej i później, wróżki często zostawały matkami chrzestnymi. Taka była moda. Zdarzało się, że jedna wróżka mała kilkuset chrześniaków. Koniecznie należy tu wyjaśnić, jak wróżki rozumiały obowiązki matki chrzestnej: po pierwsze należało stawić się na przyjęciu z okazji chrztu, potem na obiedzie z okazji roczku oraz na wszystkich imprezach z okazji kolejnych urodzin. Nie wypadało oczywiście przychodzić z pustymi rękami. Wróżki nie przynosiły zabawek, zegarków, cyfrówek, odtwarzaczy mp3. Nic z tych rzeczy. Przynosiły coś znacznie cenniejszego: obietnicę, że dziecko będzie (do wyboru): a) mądre, b) piękne, c) zdrowe, d) bogate.

Wróżka, o której mowa, w prezencie na osiemnaste urodziny podarowała swojej chrześniaczce wejściówkę na bal organizowany przez króla na zamku. Nie zapomniała też o stosownych dodatkach: olśniewająco pięknej sukni, pantofelkach, szalu oraz karecie z końmi i stangretem. Na balu w Kopciuszku zakochał się królewicz i po krótkich perypetiach ze zgubionym bucikiem oświadczył się dziewczynie. Oświadczyny zostały przyjęte, wyprawiono wesele i wszyscy żyli długo i szczęśliwie.

Matka chrzestna Oślej Skórki

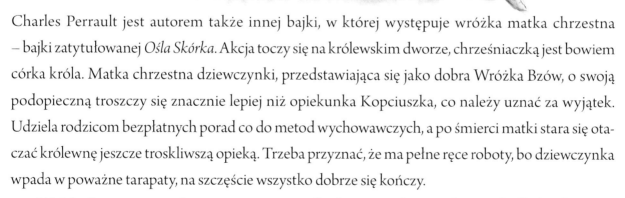

– Co mi przyszło z rad wróżki? – łkała. –
Osioł stracił życie, król stracił złotą żyłę, ja straci-
łam piękne suknie. A teraz mam tę wstrętną oślą
skórkę i na co mi ona?
– A na to, aby poznać prawdziwe życie i zapra-
cować na swoje szczęście – usłyszała niespodzie-
waną odpowiedź. To Wróżka Bzów wpłynęła
na obłoczku przez otwarte okno.
– Straciłam wszystko, co robić? – spytała
dziewczyna.
– Straciłaś marne świecidełka i ułudne dobra.
A możesz zyskać prawdziwe szczęście.

Charles Perrault jest autorem także innej bajki, w której występuje wróżka matka chrzestna
– bajki zatytułowanej *Ośla Skórka*. Akcja toczy się na królewskim dworze, chrześniaczką jest bowiem
córka króla. Matka chrzestna dziewczynki, przedstawiająca się jako dobra Wróżka Bzów, o swoją
podopieczną troszczy się znacznie lepiej niż opiekunka Kopciuszka, co należy uznać za wyjątek.
Udziela rodzicom bezpłatnych porad co do metod wychowawczych, a po śmierci matki stara się ota-
czać królewnę jeszcze troskliwszą opieką. Trzeba przyznać, że ma pełne ręce roboty, bo dziewczynka
wpada w poważne tarapaty, na szczęście wszystko dobrze się kończy.

Wróżka Bzów jest wyjątkiem, niezmiernie rzadko bowiem zdarza się, by wróżki dbały o kogoś aż
tak bardzo. Określenie „niezmiernie rzadko" tak naprawdę oznacza „prawie nigdy". Wróżki nie ukry-
wają, że imię, pod jakim ich siostra występuje w bajce, to pseudonim – żadna z nich nie ma w imieniu ani nazwisku słowa „wróżka". Najprawdopodobniej chodzi o wróżkę zwaną Oczkiem Wodnym
z uwagi na jej zamiłowanie do sadzawek i lilii wodnych. Od dawna nikt jej jednak nie widział. Prawdopodobnie ucięła sobie dłuższą drzemkę w łóżku z płatków nenufarów.

Matka chrzestna Kasi

Dawno, dawno temu, w pięknym miasteczku nad Loarą mieszkał kupiec Błażej, gruby jak beczka, wesoły jak szczygieł, a bogaty jak łan pszenicy. Miał jedną córkę, Kasię. Matka Kasi nie zdążyła nacieszyć się swoją jedynaczką, bo umarła tego samego dnia, kiedy dziecko przyszło na świat. Ale przy kołysce stanęła dobra wróżka i powiedziała zrozpaczonemu kupcowi:
— Będę matką chrzestną twojej córeczki. I dam jej w upominku urodę, rozum i dzielność. Inaczej nie potrafiłbyś jej wychować, mój grubasie.

Matką chrzestną córki kupca Błażeja, dziewczynki o imieniu Kasia, także została dobra wróżka. Jej zachowanie, opisane przez Natalię Gałczyńską w bajce *Dary zwierzątek*, nie jest typowe dla wróżek, gdyż zdecydowała się ona czuwać nad dziewczynką z własnej woli, bez niczyjego zaproszenia, chcąc zastąpić dziecku zmarłą matkę.

Jej siostry dobrze pamiętają, kim była ta wróżka. Nazywała się Abies, a po śmierci Kasi, której całe życie pomagała, zamknęła się w sobie, nie mogąc pogodzić się z faktem, że ludzie żyją tak krótko. I zaczęła wymyślać bajki, które opowiadała innym wróżkom i napotkanym ludziom. Najbardziej lubiła bajkę o ludziach, którzy znaleźli w lesie zawiniątko z maleńką płaczącą dziewczynką. Przygarnęli ją i traktowali jak własną córkę, a po latach okazało się, że dziewczynka, która wyrosła na ładną pannę, to wróżka. Bajka kończyła się sceną rozstania, wróżka bowiem musiała odejść do swojego świata, zostawiając przybranych rodziców pogrążonych w smutku.

Abies regularnie opuszcza bajkowy świat, by pomieszkać na Ziemi, między ludźmi — to także bardzo niewróżkowe zachowanie. Pojawia się u nas, kiedy granice między oboma światami są nieszczelne — rankiem, kiedy słońce wzejdzie wcześniej, niż zajdzie księżyc albo późnym popołudniem, kiedy księżyc wzejdzie, a słońce nie zdąży jeszcze schować się za horyzontem. Na rozświetlonym słonecznym blaskiem niebie księżyc wydaje się wtedy przezroczysty jak matowa szyba w oknie.

Jak ją rozpoznać? Jedzie konno. Ale to nic nadzwyczajnego, ludzie przecież także jeżdżą konno. Ale wróżki, siedząc na grzbiecie konia, nie wykrzykują: „Wio!, Prr!, Wiśta!", tylko „Allegro!, Andante!, Allegretto!, Adagio!, Largo!".

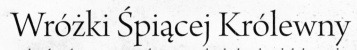

Wróżki Śpiącej Królewny

Do dziecka podeszła zła, stara wróżka, i nim ktokolwiek zdołał ją odsunąć, syknęła:

– Te dary będą ci służyć tylko piętnaście lat. W tym wieku umrzesz, przekłuwszy sobie dłoń igłą wrzeciona.

Królowa na te słowa osunęła się na ziemię. Dobra wróżka na prośbę króla wylała na nią dzban wody i rzekła do złej wróżki:

– Wstyd mi, zła wróżko, że jesteś moją kuzynką. Co uczyniło ci to niewinne dziecko, aby być dlań tak okrutną?

Zła czarownica milczała z mściwym uśmiechem.

Wróżki chętnie zostawały matkami chrzestnymi. I nie miało dla nich znaczenia, czy dziecko urodziło się w biednej rodzinie czy na królewskim dworze. O chrzcinach pewnej królewskiej córki opowiada bajka *Śpiąca Królewna*. Jej autorem jest dobrze nam już znany Charles Perrault. Mała królewna, długo oczekiwane dziecko, miała aż siedem matek chrzestnych – w końcu królewska para mogła zapewnić córeczce taki luksus – po jednej dobrej wróżce na każdy dzień tygodnia.

Matki chrzestne ofiarowały dziecku siedem cennych darów:

1) urodę i wdzięk,

2) mądrość,

3) zwinność i sprawność fizyczną,

4) piękny, czysty głos,

5) wdzięk i czar,

6) spryt,

7) dowcip i dobry humor.

Wszyscy świetnie się bawili do momentu, gdy na zamku pojawiła się ósma wróżka… Nie zaproszono jej, bo była zrzędliwa i nieuprzejma. A poza tym była złą wróżką, a kto chciałby, żeby jego dziecko miało za matkę chrzestną złą wróżkę?

Tak czy inaczej, zła wróżka przyszła na przyjęcie nieproszona. Jej siostry wymieniły porozumiewawcze spojrzenia, spodziewając się najgorszego. I miały rację – nim zdołały cokolwiek zrobić, zła wróżka rzu-

ciła zaklęcie: królewna miała umrzeć w wieku piętnastu lat. Wszystko, co mogły zrobić w tej sytuacji, to zamienić śmierć na stuletni sen, z którego zbudzi dziewczynę piękny młody królewicz. I zakocha się w niej od pierwszego wejrzenia.

Złą wróżką z bajki o Śpiącej Królewnie była najprawdopodobniej wyjątkowo paskudna i wredna Euforbia. Wskazuje na to sposób działania, dość dla niej typowy – sama szukała okazji, by komuś zaszkodzić, podczas gdy inne złe wróżki najczęściej brały się do czarnej roboty, kiedy ktoś je o to poprosił, albo kiedy jakiś nieszczęśnik miał pecha i wszedł im w drogę. Euforbia zazwyczaj pojawiała się nagle nie wiadomo skąd (najlepiej na jakiejś hucznej imprezie organizowanej z radosnego powodu, na przykład na ślubie albo chrzcinach), by narozrabiać i zniknąć. Narozrabiać najgorzej, jak tylko można.

Wróżki z bajki *Wróżki*

W tym czasie wszystkie źródła i strumyki były ulubionymi miejscami wróżek. Mieszkały sobie także w okolicy tego źródełka. Wstawały rano i kąpały się w zimnej wodzie. Dokazywały przy tym wesoło. Pryskały na siebie wodą, śmiały się srebrzystym śmiechem i śpiewały.

* * *

Wszystkie opisane w tym rozdziale historie wydarzyły się dawno, dawno temu. Pamiętajcie jednak o tym, że bajkowy świat nie wygląda już tak samo od czasu, gdy Charles Perrault napisał i opublikował *Wróżki*. Wspominamy o tym w rozdziale pod tytułem *Kontakty z ludźmi*.

Cytaty pochodzą z następujących książek:
Królowa Śniegu [w:] Hans Christian Andersen, *Baśnie*, Kraków 2007, s. 17.
Kopciuszek [w:] Charles Perrault, *Bajki*, Kraków 2007, s. 23.
Ośla Skórka [w:] Charles Perrault, *Bajki*, Kraków 2007, s. 107.
Śpiąca królewna [w:] Charles Perrault, *Bajki*, Kraków 2007, s. 35.
Wróżki [w:] Charles Perrault, *Bajki*, Kraków 2007, s. 75.
Dary zwierzątek [w:] Natalia Gałczyńska, *O wróżkach i czarodziejach*, Warszawa 2007, s. 5.

Najsłynniejsi bajkopisarze

1.

– O, jest wreszcie nasz pan Perrault! Witam serdecznie szanownego kolegę! – zawołał radośnie Jacob Grimm. – Niechże pan wchodzi, drogi Charlesie.

Charles Perrault ukłonił się Jacobowi, zamknął delikatnie drzwi i zrobił kilka kroków.

– Siemanko! Czy Hans już jest? – zapytał.

– Owszem, jest już od jakiegoś czasu – odparł Jacob. – Przed kwadransem poszedł na spacer do parku. Pewnie, jak zwykle, ogląda łabędzie. Powinien wrócić lada moment.

– OK. Dziś postaram się być dla niego milszy – powiedział Perrault, rozkładając zielone wędkarskie krzesełko i rozsiadając się na nim wygodnie. – Ostatnim razem strasznie się wkurzył, kiedy skrytykowałem jego pomysł z kaczątkiem.

Jacob Grimm na widok wędkarskiego krzesełka zrobił zdziwioną minę.

– A cóż to? Gdzie się podział pański elegancki ludwik? – zapytał. – O ile pamiętam, zawsze woził pan to bezcenne krzesło ze sobą i siadał tylko na nim.

Perrault ze smutkiem pokiwał głową.

– Rozleciało się – powiedział. – Miało prawo. Służyło mi od 1645 roku.

– Szczerze współczuję – stwierdził Jacob Grimm z nieudawanym żalem.

– Cóż, tak to bywa z krzesłami … – stwierdził Perrault, po czym zapytał: – A gdzie pański brat, Wilhelm? Chętnie z nim pogadam. To naprawdę fajny gość.

– Wil, niestety, nie będzie nam dzisiaj towarzyszył – odparł Jacob. – Od naszego ostatniego pobytu na tym najpiękniejszym ze światów pojawiło się tak wiele nowych słów, że musiał zostać w domu, by skatalogować je i opisać do nowego wydania *Słownika niemieckiego*. Ale proszę się nie przejmować, mam wszelkie pełnomocnictwa, by zakończyć dziś pisanie naszej pierwszej wspólnej bajki.

– Hans powiedziałby: baśni – rzucił Perrault.

Jacob popatrzył na niego błagalnie.

– Niechże pan będzie dla niego miły – poprosił. – Obiecał pan przecież.

– OK, spoko – zapewnił Perrault – proszę nie pękać, będzie w porzo.

Grimm cmoknął z uznaniem.

– Pan to zawsze na bieżąco z tymi wszystkimi nowymi słówkami … Już dawno chciałem wyrazić swe uznanie.

Zza drzwi dobiegły odgłosy kroków – to Andersen powoli wchodził po schodach. Nie minęła chwila i już był w pokoju.

– Witam, panie Perrault – przywitał się od progu, po czym wszedł do środka i usiadł przy stole. – Przepiękne łabędzie podziwiałem przed chwilą w parku!

Jacob Grimm, czując, że zanosi się na dłuższą sentymentalną przemowę, wstał i powiedział:

– Pozwólcie, drodzy przyjaciele, że przypomnę w dwóch zdaniach, po co się tu spotykamy. Wróżka Abies, upoważniona przez Wysoką Radę Wróżek i Elfów, zwróciła się do nas, najsłynniejszych bajkopisarzy, z prośbą o napisanie bajki …

– Baśni – wpadł mu w słowo Andersen, a Perrault przemówił oczami.

– Oczywiście nie bajki, lecz baśni – ciągnął niewzruszony Grimm. – Baśni w starym stylu, ze szczęśliwym zakończeniem, w której będą występować wróżki. Dzieło to zostanie zamieszczone w nowej książce o wróżkach. Owocem naszych dwóch poprzednich spotkań jest większa cześć tej opowieści. Dziś musimy tylko dopisać zakończenie.

– OK, jasna sprawa – powiedział Perrault. – Nie wiem, czy to skleroza czy co, ale nie bardzo pamiętam, co napisaliśmy, więc może by nam pan przypomniał?

– Z prawdziwą przyjemnością – odparł Jacob Grimm.

Z wewnętrznej kieszeni marynarki wyjął złożoną we czworo kartkę papieru, rozprostował ją i zaczął czytać.

Dawno, dawno temu w chatce na skraju lasu żyło sobie dwoje ubogich małżonków z uroczą małą córeczką.

Któregoś wieczoru w pobliżu ich chatynki przechodziła wróżka Abies. Wzruszyła się ich tęsknotami, zasmuciła ich życiem i zapukała do drzwi. Kiedy gospodyni otwarła, zobaczyła stojącą na progu nieznajomą panią. Po stroju poznała, że pochodzi z miasta. Miała kolorową jedwabną sukienkę, pantofelki z delikatnej skóry, atłasowy kapelusik ozdobiony koronkami i mięciutkie rękawiczki z takiej samej skóry jak pantofelki. W porównaniu z nią gospodyni ubrana w suknię z szarego grubego płótna wyglądała jak wróbel przy pawiu.

Zdziwiła się gospodyni, co też ta wytworna pani robi wieczorem na takim odludziu.

– Zabłądziłam – powiedziała wróżka, nie zdradzając ani słowem, kim jest naprawdę. – – Nie znalazłoby się u was w chatce trochę miejsca, bym mogła przeczekać noc?

Gospodyni od razu zaczęła jej mościć wygodne posłanie. Po chwili wróżka zapytała:

– A nie znalazłoby się u was coś do jedzenia? Zanim położę się spać, przekąsiłabym coś. Nie-wiele, tylko tyle, by oszukać głód.

Zafrasowała się gospodyni.

– Mam tylko trochę malin … – szepnęła. – Świeżutkie, nazbierałam dziś w lesie. Weźcie sobie, proszę, częstujcie się, ile chcecie.

Wróżka zjadła kilka pachnących malin, uśmiechnęła się do siebie i wzruszona życzliwym przyjęciem, powiedziała:

– Dobrzy z was ludzie. Chciałabym się jakoś odwdzięczyć. Dam waszej córeczce posag: od osiemnastych urodzin każda kropli krwi, która spłynie z jej palca, zamieni się w rubin. Jeśli jednak powiecie jej o tym, nim skończy osiemnaście lat, czar nie zadziała.

Uradowani rodzice podziękowali wróżce i przysięgli, że do osiemnastych urodzin córki nie pisną ani słówka.

2.

Jacob Grimm przerwał czytanie, podniósł wzrok znad kartki i powiedział:

– O ile dobrze pamiętam, na ostatnim spotkaniu Hans Christian zaproponował, by po podwórku koło chatynki biegały kaczki.

Po czym spojrzał znacząco na pana Perraulta. Nim ten zdążył jednak otworzyć usta, Andersen szybko powiedział:

– Rezygnuję z tego, panowie. W zamian wprowadźmy pewien łabędzi akcent w zakończeniu.

Perrault uniósł prawą dłoń w geście zgody i zapytał:

– A czy możemy zamienić suknię gospodyni? Zamiast w grube szare płótno, odziejmy ją w łach z ośłej skóry.

– Sądzę, że możemy się na to zgodzić – odparł Grimm i wrócił do czytania.

Usłyszała tę rozmowę przechodząca nieopodal zła wiedźma Wimperga. Uknuwszy w głowie pewien plan, odczekała cierpliwie kilkanaście lat. W przeddzień osiemnastych urodzin dziewczęcia przybrała postać zagubionej pani z miasta, stanęła u drzwi chatki i zapukała.

– Zabłądziłam, droga gospodyni – powiedziała, kiedy otwarto jej drzwi. – Nie znalazłoby się u was w chatce trochę miejsca, bym mogła przeczekać noc?

Weszła do środka, rozejrzała się, usiadła na koślawym zydelku i spytała:

– A nie znalazłoby się w waszej spiżarni coś do jedzenia? Od rana, kiedy wyszłam na spacer do lasu, nie miałam nic w ustach.

Przejęła się gospodyni losem miastowej pani i powiedziała:

– Mam tylko trochę malin, które nazbierałam dziś w lesie. Weźcie sobie, proszę, częstujcie się, ile chcecie.

Wimperga, która nie cierpiała owoców, a szczegól-nie malin, z trudem przełknęła kilka. Rozzłoszczona do-brocią staruszków, uderzyła ich czarodziejską różdżką i wykrzyknęła:

– Od tej chwili możecie zrobić tylko pięć kroków. Przy szóstym padniecie bez życia na ziemię. A ja pory-wam waszą rubinową córeczkę.

Zaśmiała się i uprowadziła nieszczęsną dziewczynę do swego zamku. Zamknęła ją w wieży, w małej kom-nacie z małym zakratowanym oknem. Usługujący złej wróżce złośliwy kobold codziennie przynosił dziewczynie jedzenie, a przy okazji kaleczył jej palce. Nakłuwał szpilką opuszki i podstawiał pod dłoń srebrną tacę, na którą spa-dały krwistoczerwone rubiny. A robotnicy co rano ozdabiali nimi zamkowe mury.

3.

Jacob Grimm ponownie przerwał czytanie, podniósł wzrok znad kartki i powiedział:

– No a teraz, moi drodzy przyjaciele, zakończenie.

– Co pan proponuje, Jacobie? – spytał Perrault.

Grimm podrapał się w brodę i powiedział:

Pewnego dnia wieści o rubinowym zamku dotarły do Abies. Dobra wróżka od razu domyśliła się, że dziewczynie, którą obdarowała wiele lat temu, dzieje się krzywda. Gdy zapadł zmierzch, kazała zaprząc konie do karety i wyruszyła w drogę. Wkrótce stangret zatrzymał powóz w pobliżu zamku Wimpergi, a Abies z jednego z okalających zamek wzgórz patrzyła na skąpane w blasku księżyca rubinowe mury, baszty i wieże – z najwyższej dochodził cichy szloch dziewczyny.

– Moim zdaniem bardzo dobrze – rzekł Andersen. – Może teraz pan, Charles?

Perrault podrapał się w czoło i powiedział:

Wykorzystując fakt, że Wimperga poleciała na nocne łowy, Abies wytężyła siły i magicznym zaklęciem zamieniła wszystkie zgromadzone rubiny w maliny. Zamek w jednej chwili stał się wielkim stosem malin. Dziewczyna była wolna, musiała tylko wydostać się jakoś spośród pachnących owoców.

Kiedy na malinową górę, która jeszcze niedawno była zamkiem, przybyła Wimperga, Abies i dziewczyna były już daleko.

– Świetnie – stwierdził Grimm. – Pańska kolej, Hans.

Andersen podrapał się w ucho i dokończył opowieść:

Wróżka zabrała swą podopieczną do pięknej krainy, w której żyło się szczęśliwie i spokojnie. Tam właśnie pewnego dnia zobaczył dziewczynę książę, który w herbie miał dwa splecione szyjami łabędzie. Zakochał się w niej i poślubił ją. Wyprawiono huczne siedmiodniowe wesele. A wróżka w posagu dała dziewczynie nowy dar – krople jej krwi już nie zamieniały się w rubiny, za to jej łzy stawały się diamentami. Ale tylko wtedy, kiedy płakała z radości.

– Doskonałe zakończenie – rzekł Grimm. – Bardzo piękne.

– O tak! Po prostu super, szanowny Jacobie – potwierdził Perrault.

Andersen uśmiechnął się zadowolony i zapytał:

– A zwróciliście panowie uwagę na herb księcia? Dwa zakochane, splecione szyjami łabędzie. Czyż to nie piękne? Abies powinna być zadowolona.

* * *

Charles Perrault (1628-1703), bracia Grimm: Jacob (1785-1863) i Wilhelm (1786-1859) oraz Hans Christian Andersen (1805-1875) to najsłynniejsi autorzy bajek. Wśród napisanych przez nich opowieści jest także bardzo wiele historii o wróżkach. Pan Perrault nie mógł, niestety, poznać swoich kolegów po fachu, natomiast bracia Grimm i Andersen utrzymywali ze sobą kontakty.

Wróżki,
których nigdy nie było

Wróżki opisane w rozdziale Poczet wróżek są prawdziwymi postaciami z bajkowego świata.
Jednak niektóre wróżki, znane z książek i filmów, to tylko owoc fantazji autorów, którzy wymyślili je, by opowiadane
przez nich historie były ciekawsze. Najsłynniejsze spośród wróżek, które nigdy nie istniały, opisujemy poniżej.

Wróżka o Błękitnych Włosach

Przyśniła mu się Wróżka, piękna, uśmiechnięta i szczęśliwa, która pochyliła się nad nim,
pocałowała go i powiedziała:
– Brawo, Pinokio! W nagrodę za twoje dobre serce wybaczam ci wszystkie twoje wybryki.
(…) Postępuj nadal tak jak do tej pory, a będziesz szczęśliwy.
W tym momencie Pinokio obudził się i szeroko otworzył oczy. Jakież było jego zaskoczenie i ra-
dość, kiedy spojrzał po sobie i przekonał się, że nie jest już pajacykiem, ale żywym chłopcem!

Bajkowa powieść pod tytułem *Pinokio*, napisana przez Włocha Carla Collodiego, opowiada o przygodach pajacyka wystruganego z kawałka gadającego drewna. Ważną rolę w tej historii odgrywa dobra wróżka, zwana Wróżką o Błękitnych Włosach (ale też Panienką o Błękitnych Włosach, Dzieweczką o Błękitnych Włosach albo jeszcze jakoś inaczej). Poznajemy ją, kiedy ratuje naiwnego Pinokia z opresji. Jest małą dziewczynką i zapewne mogłaby chodzić z pajacykiem do szkoły. Przy końcu opowieści jest już dorosłą kobietą, mogącą zastąpić chłopcu matkę. A gdzieś w środku pojawia się także jako niebieska koza.

Jej pierwsze spotkanie z pajacykiem jest zaskakujące: uciekający przed zbójcami Pinokio usiłuje znaleźć schronienie w małej chatce, ale nie udaje mu się to. Mieszkająca w chatce niebieskowłosa dziewczynka prowadzi z nim przez okno dziwną rozmowę, podczas której Pinokia dopadają zbójcy. Na szczęście dziewczynka przychodzi mu z pomocą.

Niebieskowłosa istota jest wróżką, która pod koniec opowieści spełni największe marzenie Pinokia – zamieni go w prawdziwego chłopca. Jednak nim to się stanie, upłynie sporo czasu, a Pinokio będzie musiał oduczyć się egoizmu i samowoli, gdyż tylko wtedy zadziałają dobre czary. Wiele razy mały urwis zawiedzie zaufanie swej opiekunki, która jednak wszystko mu wybaczy.

Gdyby Wróżka o Błękitnych Włosach istniała naprawdę, musiałaby być najcierpliwszą wróżką w historii, Pinokio bowiem przez dość długi czas wodzi ją za nos i wystawia na ciężkie próby swą niesfornością i lekkomyślnością. Ale Wróżka wie, że w głębi drewnianego serca Pinokio nie jest zły. Żeby go wzruszyć, ucieka się do rozmaitych sztuczek, raz nawet pozoruje własną śmierć.

Dotarł wreszcie do miejsca, gdzie kiedyś stał domek, lecz teraz już go tam nie było. Na jego miejscu leżała marmurowa płyta ze smutnym napisem:

TU LEŻY ŚLICZNA WRÓŻKA
O BŁĘKITNYCH WŁOSACH,
KTÓRA UMARŁA ZE SMUTKU,
KIEDY OPUŚCIŁ JĄ
JEJ BRACISZEK PINOKIO.

Biedny pajacyk poczuł się, jakby miało mu pęknąć serce.

...pisania przez Carla
...ył starożytny grecki
...artyście imieniem
...:ochał się w stwo-
...zeźbie pięknej
...alatea. Wzruszona
...dyta, ożywiła Galateę.

Czarna Wróżka

Czarna Wróżka żyła na pograniczu Królestwa Paflagońskiego i sąsiadującego z nim państwa Krymtatarii. Miano Czarnej Wróżki nadano tej tajemniczej istocie z powodu czarnoksięskiej, cudownej hebanowej laseczki, której dosiadała jak rumaka, ilekroć udawała się na Księżyc albo w podróż dla przyjemności lub interesu. Laseczka ta służyła jej również do wykonywania najróżniejszych sztuk czarodziejskich. (...)

Czarna Wróżka ćwiczyła się przez długie lata w swym zawodzie, z szumem przelatując na czarnej laseczce z jednego kraju do drugiego i rozdając swoje cudowne upominki to temu, to innemu księciu czy królowi. Miała całe tuziny chrześniaków, przemieniła niezliczoną liczbę złych ludzi w zwierzęta, ptaki, kamienie młyńskie, zegary ścienne, pompy, parasole, wciągacze butów i różne inne pożyteczne przedmioty, słowem, nie było pracowitszej i usłużniejszej wróżki w całym czarnoksięskim bractwie.

Czarna Wróżka z baśniowej powieści *Pierścień i róża*, autorstwa angielskiego pisarza Williama Makepeace'a Thackeraya, to bardzo ważna postać w Paflagonii i Krymtatarii, ważniejsza niż władający wspomnianymi państwami królowie. Jest dobra, więc stara się, jak może, by wszystkim wokoło było jak najlepiej. Pewnego dnia stwierdza jednak, że ludzie nie doceniają magicznych darów i prezentów, jakimi ich obdarza. Owszem, przyjmują je, ale wcale nie stają się dzięki temu lepsi. Tak właśnie było w przypadku chrześniaczek Czarnej Wróżki, małżonek króla Serioza i księcia Padelli, obdarowanych hojnie cudownym pierścieniem i zaczarowaną różą – prezentami sprawiającymi, że mężowie kochają je do-

zgonnie i bezgranicznie. Dzięki temu, że rozkochani w nich mężowie spełniali każdy ich kaprys, obie stały się obrażalskie, leniwe i zarozumiałe do niemożliwości. Rozgoryczona wróżka postanowiła więc zmienić swe postępowanie. Zaproszona na chrzciny królewicza Lulejki, wprawiła wszystkich w niemałe zdumienie.

Wszyscy sądzili, że Czarna Wróżka (…) ofiaruje swemu chrześniakowi chociaż czapkę niewidkę, siwka złotogrzywka, bułkę niedojadkę lub jakiś inny wartościowy podarunek, świadczący o jej łasce i dobrym smaku.

Nic z tych rzeczy. Co powiedziała Czarna Wróżka pochylona nad kołyską dziecka: „Moje biedne maleństwo, nie mogę ci ofiarować cenniejszego upominku nad odrobinę cierpienia". Podobnie zachowała się kilka lat później na chrzcinach królewny Różyczki. I rzeczywiście, jej podopieczni nie mieli lekkiego życia, choć wróżka trochę im pomagała. I nie spoczęła, dopóki nie stanęli na ślubnym kobiercu.

Choć była dobra i miała w repertuarze klasyczne wróżkowe numery (plucie perłami w nagrodę i żabami za karę), czasem wpadała w gniew. Kiedyś pojawiła się u bram pałacu, w którym odbywały się ważne chrzciny. Odźwierny, któremu przykazano, aby jej nie wpuszczał, wywiązał się z tego zadania z dużą nadgorliwością: zrugał wróżkę, pozwalając sobie nawet nazwać ją starą czarownicą. Nie czekał zbyt długo na karę. Czarna Wróżka zamieniła go w rączkę do dzwonka na drzwiach wejściowych (ale odczarowała po dwudziestu latach).

Wróżka Chrzestna

Mieszkająca w Zasiedmiogórogrodzie Wróżka Chrzestna, jedna z głównych intrygantek w filmie *Shrek 2*, dobra zdecydowanie nie jest. Żeby osiągnąć cel, nie przebiera w środkach, a jej celem jest małżeństwo jej syna z królewną Fioną. Sprawa komplikuje się, gdy Fiona zostaje szczęśliwą małżonką Shreka. Wróżka wespół z ojcem Fiony zaczyna knuć na całego, ich plan kończy się jednak totalną klęską. Miłość wygrywa!

Wróżka Chrzestna ma wielką wytwórnię magicznych eliksirów, których produkcję zmonopolizowała. Jeździ imponującą karetą z dwoma ochroniarzami, którym lepiej nie wchodzić w drogę.

Cosmo i Wanda

Cosmo i Wanda to wróżki opiekujące się małym Timmym Turnerem w animowanym serialu *Przygody Timmy'ego* (znanego także jako *Rodzice niezbyt chrzestni*). Co ciekawe, Cosmo jest wróżem, czyli wróżką płci męskiej. Szefem wróżek i wróżów jest Jorgen Von Pyton, najpotężniejsza postać w ca-

łym wróżkowym świecie. W serialu występują także antywróżki, których szefem jest Antycosmo. Pojawiają się na świecie trzynastego w piątek i rozrabiają w najlepsze (a właściwie w najgorsze), przysparzając wszystkim kłopotów.

Inne postacie

Świat fantastycznych książek, filmów i komiksów pełen jest postaci, które nieopatrznie można wziąć za wróżki, choć nimi nie są. Z całą odpowiedzialnością należy stwierdzić, że wróżkami nie są:

* Wielka Szyszymora z filmu *Waśnie w krainie baśni* (albo *Elfy kontra skrzaty*),
* czarownice z książki *Czarnoksiężnik z krainy Oz*,
* Will, Irma, Taranee, Cornelia i Hay Lin z serialu i komiksu *W.I.T.C.H Czarodziejki*,
* Usagi Tsukino z serialu *Czarodziejka z Księżyca*,
* Królowa z filmu *Nieustraszeni bracia Grimm*,
* J.K. Rowling z Wielkiej Brytanii.

* * *

Cytaty pochodzą z następujących książek:
Carlo Collodi, *Pinokio*, tłum. Patrycja Jabłońska, Kraków 2008.
William Makepeace Thackeray, *Pierścień i róża*, tłum. Zofia Rogoszówna, Kraków 2004.

Spis treści